SOMMAIRE

Avant d'aborder l'œuvre

Le Mariage de Figaro

BEAUMARCHAIS

Pour approfondir

Petits Classiques

LAROUSSE

Collection fondée par Félix Guirand,
Agrégé des Lettres

Le Mariage de Figaro

Beaumarchais

Comédie

Édition présentée,
annotée et commentée
par Marion MARTIN-SUHAMY,
ancienne élève
de l'École normale supérieure

© Éditions Larousse 2006
ISBN : 978-2-03-586598-4

AVANT D'ABORDER
L'ŒUVRE

Fiche d'identité de l'auteur

Beaumarchais

Famille : un père maître horloger cultivé ; cinq sœurs, férues de musique et de littérature.

Nom : Pierre-Augustin Caron de Beaumarchais.

Naissance : 24 janvier 1732, grande rue Saint-Denis à Paris, sous le nom de Pierre-Augustin Caron.

Formation : brève scolarité dans une école de campagne, à Alfort, entre 9 et 12 ans. À partir de 13 ans, apprenti horloger auprès de son père.

Début de sa carrière : brillant et ambitieux touche-à-tout : d'abord horloger inventif, musicien des filles du roi, homme d'affaires et de cour, marchand d'armes et agent secret, avant de se tourner vers le théâtre. Déjà célèbre pour ses procès retentissants et son insolente fortune, lors de ses débuts dans la carrière dramatique ; à partir de 1757, fait jouer des parades (courtes farces populaires et délurées) sur la scène privée du château de l'homme d'affaires Lenormant d'Étioles ; débuts publics avec *Eugénie* (drame, 1767). D'abord sifflée, aussitôt remaniée, succès honorable ; *Les Deux Amis ou Le Négociant de Lyon* (drame, 1770), représentée à la Comédie-Française, échec.

Premiers succès : abandon du drame, qui ne lui a pas réussi. Triomphe du *Barbier de Séville* (1775) à la Comédie-Française.

Tournant de sa carrière : *Le Mariage de Figaro* (1785), comédie, suite du "Barbier", est jouée à la Comédie-Française après plus de deux ans d'une lutte acharnée pour surmonter les interdictions. Accueil triomphal.

Dernière partie de sa carrière : *Tarare* (opéra, 1787). Médiocre succès. Fin de la trilogie espagnole avec *La Mère coupable*, drame joué au théâtre du Marais en 1792.

Mort : le 18 mai 1799, à Paris.

Pierre Augustin Caron de Beaumarchais,
par Émile Bayard.

Repères chronologiques

Vie et œuvre de Beaumarchais	Événements politiques et culturels
1732 (24 janvier) Naissance de Pierre-Augustin Caron à Paris.	**1723** Début du règne personnel de Louis XV (> 1774).
1753 Invente un procédé d'horlogerie qui le fait connaître à la Cour.	**1751** **Début de la publication de l'*Encyclopédie*.**
1756 Premier mariage. Prend le nom de Caron de Beaumarchais.	**1756** Début de la guerre de Sept Ans.
1757 Mort de sa femme. Rencontre le banquier Lenormant d'Étioles.	**1757** Diderot, *Le Fils naturel* ; *Entretiens sur le Fils naturel*.
1759 Professeur de harpe des filles de Louis XV.	**1759** Voltaire, *Candide*.
1760 Le financier Pâris-Duverney l'initie au monde des affaires.	**1763** Fin de la guerre de Sept Ans. La France perd presque toutes ses possessions américaines. Mort de Marivaux.
1767 *Eugénie* (drame) à la Comédie-Française ; *Essai sur le genre dramatique sérieux* (texte théorique).	**1771** Le chancelier Maupeou réforme les parlements.
1768 Deuxième mariage.	**1773** Diderot, *Jacques le Fataliste*.
1770 Mort de sa deuxième femme. *Les Deux Amis* (drame) à la Comédie-Française. Échec. Mort de Pâris-Duverney.	**1774** **Mort de Louis XV. Avènement de Louis XVI (> 1792).**
1772 Début d'une suite de procès contre La Blache, héritier de Pâris-Duverney.	**1776** Déclaration d'indépendance des États-Unis d'Amérique.
1773 Affaire Goëzman.	**1778** La France s'allie aux insurgés américains. Mort de Voltaire et de Rousseau.
1774 Rencontre Marie-Thérèse de Willermaulaz. Agent secret pour le roi en Angleterre.	**1782** Paisiello, *Il Barbiere di Siviglia*.
	1783 Indépendance des États-Unis.

Repères chronologiques

Vie et œuvre de Beaumarchais	Événements politiques et culturels
1775 *Le Barbier de Séville* (comédie) à la Comédie-Française, succès.	**1784** Mort de Diderot.
1777 Beaumarchais fonde, le 3 juillet, la Société des auteurs dramatiques.	**1786** Mozart, *Les Noces de Figaro*.
1780 Entreprend à Kehl (Bade) l'édition des *Œuvres complètes* de Voltaire.	**1787** Constitution des États-Unis d'Amérique.
1784 **Triomphe du *Mariage de Figaro* à la Comédie-Française le 27 avril.**	**1788** Crise financière et convocation des états généraux pour 1789.
1785 Incarcération à Saint-Lazare.	**1789** **Début de la Révolution en France.**
1786 Épouse Marie-Thérèse de Willermaulaz.	**1791** Assemblée législative.
1787 *Tarare* (opéra) à l'Opéra de Paris.	**1792** Première République. Mort de Mozart.
1792 *La Mère coupable*. Échec. Affaire des fusils de Hollande. Beaumarchais arrêté et incarcéré.	**1793** Exécution de Louis XVI. Fuite en avant vers la Terreur.
1794 **Inscrit sur la liste des émigrés. Se réfugie à Hambourg.**	**1799** Coup d'État de Bonaparte, le 18-Brumaire. Début du Consulat.
1796 Beaumarchais revient en France, ruiné, couvert de dettes.	**1816** Rossini, *Il Barbiere di Siviglia* (opéra bouffe).
1797 Reprise de *La Mère coupable* (drame). Grand succès.	
1799 Il meurt à Paris le 18 mai.	

Fiche d'identité de l'œuvre

Le Mariage de Figaro

Genre : théâtre, comédie.

Auteur : Pierre-Augustin Caron de Beaumarchais, XVIIIe siècle.

Objets d'étude : comique et comédie ; le théâtre : texte et représentation ; un mouvement d'histoire littéraire : les Lumières.

Registres : comique, lyrique, polémique, satirique, pathétique.

Structure : cinq actes.

Forme : dialogue en prose.

Principaux personnages : Le Comte Almaviva, La Comtesse, Figaro, Suzanne, Chérubin, Marceline, Bartholo.

Sujet : Suzanne et Figaro vont se marier, mais le Comte, qui convoite Suzanne, et Marceline, désireuse d'épouser Figaro, menacent leur bonheur (Acte I). Pour donner le change au Comte, Figaro excite sa jalousie vis-à-vis de la Comtesse (Acte II). Marceline gagne son procès contre Figaro, qui doit l'épouser, mais découvre qu'il est son fils (Acte III). Pendant le mariage des domestiques, Suzanne donne rendez-vous au Comte. Figaro devient fou de jalousie (Acte IV). Le soir, le Comte lutine la Comtesse en croyant avoir affaire à Suzanne. Puis il surprend Figaro avec celle qu'il croit être la Comtesse. Furieux, il veut confondre Figaro, mais c'est finalement lui qui est confondu et s'excuse publiquement. La Comtesse lui pardonne. Suzanne et Figaro sont heureux.

Interprétation/Adaptation : avec *Le Mariage de Figaro*, le valet picaresque du *Barbier de Séville* incarne désormais l'aspiration à la justice et à la liberté. Longtemps considérée comme une pièce révolutionnaire, le "Mariage" apparaît aujourd'hui encore comme une brillante revendication du droit au bonheur. Dès 1786, Mozart en fit un opéra bouffe, *Les Noces de Figaro*.

LE MARIAGE DE FIGARO.

FIGARO.

Que je voudrais bien tenir un de ces puissants de quatre jours...

Acte V. Sc. III.

Figaro.
Dessin de Émile Bayard.

L'œuvre dans son siècle

Dans son *Dictionnaire des idées reçues*, Flaubert notait avec ironie : « Figaro *(Le Mariage de)* Encore une des causes de la Révolution. » Or, si la comédie de Beaumarchais ne saurait être réduite à un acte politique subversif, elle est néanmoins le fruit d'un esprit frondeur et d'une époque avide de liberté.

Les derniers feux d'un régime sclérosé

À LA FIN DU XVIIIe SIÈCLE, la France de l'Ancien Régime, affaiblie par une grave crise économique et financière, dirigée sans clairvoyance par un roi velléitaire, sclérosée par la résistance opiniâtre d'une caste de privilégiés à toute tentative de réforme, vacille. Conjuguées à l'insatisfaction grandissante d'un peuple accablé par la misère et d'une grande bourgeoisie qui ne supporte plus de voir le mérite personnel dénié par la société d'ordres, les idées nouvelles répandues par les Lumières ouvrent la voie à la Révolution de 1789.

La vie culturelle à l'heure des Lumières

LES PENSEURS DES LUMIÈRES mènent en effet au XVIIIe siècle une réflexion rationnelle et critique sur l'ensemble des savoirs et des institutions politiques et religieuses, qui les amène à fustiger les travers de l'Ancien Régime. Leurs idées se diffusent grâce aux livres savants (dont la fameuse *Encyclopédie*, publiée à partir de 1751) et aux journaux, qui se multiplient. Elles circulent également dans des lieux de lecture et de discussion toujours plus nombreux – salons mondains, cafés, salles de lecture ou académies de province – où s'exerce et se renouvelle aussi l'art de la conversation et du langage théâtral. Mais la liberté d'expression est limitée et l'État exerce un contrôle vigilant sur l'ensemble des productions intellectuelles et artistiques. Pour déjouer la censure, les écrivains recourent à la fiction (roman, conte, théâtre), où ils stigmatisent par des moyens détournés les inégalités et les injustices de leur temps, mettent en scène de grands débats d'idées ou exposent leurs projets de société nouvelle.

L'œuvre dans son siècle

Une vie théâtrale très réglementée

LA VIE THÉÂTRALE est encore régie par le système du privilège. Ainsi, la troupe de la Comédie-Française, installée depuis 1782 dans une nouvelle salle, l'actuel Odéon, est seule habilitée à faire jouer les pièces en cinq actes et les tragédies ; l'Opéra a le monopole des représentations avec musique et danse ; la Comédie-Italienne, l'exclusivité des pièces en italien, des pièces à canevas et de ce genre nouveau qu'est l'opéra-comique. La création dramatique, ainsi organisée et soumise à une censure draconienne, sert la politique de prestige du roi plus qu'elle ne divertit un public pourtant sans cesse grandissant. Elle condamne la Comédie-Française à bannir le mélange des genres et à ne représenter que les grands auteurs classiques – Molière, Corneille, Racine, Lulli – ou de pâles imitateurs contemporains.

Une création vivace

OR LES AMATEURS DE THÉÂTRE, désormais issus des milieux populaires autant que de la bourgeoisie ou de l'aristocratie, veulent qu'on les émeuve et qu'on les amuse en leur montrant le monde qui est le leur. Aussi vont-ils volontiers assister aux spectacles moins gourmés et plus divertissants qui se multiplient en marge des scènes officielles. À Paris notamment, les foires Saint-Germain et Saint-Laurent abritent quelques formations théâtrales qui y jouent des parades (courts divertissements à visée publicitaire représentés à l'extérieur des salles de spectacle) et des pièces de théâtre. Pendant la deuxième moitié du siècle, les théâtres de boulevard relaient les théâtres de la foire et inventent un genre nouveau, le mélodrame, œuvre hybride entre théâtre et opéra. L'engouement pour le théâtre est tel qu'on joue aussi dans les châteaux et les hôtels particuliers, où les aristocrates et les grands bourgeois se plaisent à monter eux-mêmes sur scène et à voir représenter des pièces du répertoire ou des divertissements plus ou moins lestes, telles les parades grivoises que Beaumarchais écrit pour le banquier

L'œuvre dans son siècle

Lenormant d'Étioles. Ainsi la veine comique se renouvelle-t-elle du côté de la bouffonnerie et de la farce, tandis que la Comédie-Italienne représente des spectacles où se mêlent théâtre, musique et chant et que l'opéra, dont raffole la bonne société, se tourne vers une forme proche de la comédie, celle de l'opéra bouffe.

Comédie larmoyante et drame

La création dramatique tente aussi de dépasser l'opposition entre comédie et tragédie. La comédie larmoyante s'attache à peindre la vérité des mœurs et à émouvoir par des scènes morales et attendrissantes. Diderot définit quant à lui un genre dramatique nouveau dans les *Entretiens* qui suivent sa pièce *Le Fils naturel* (1757) et le *Discours sur la poésie dramatique* qui accompagne *Le Père de famille* (1758). À travers le drame, intermédiaire entre la comédie de mœurs et la tragédie, il entend mettre en scène la vie réelle, rendre compte des difficultés liées aux diverses conditions sociales et susciter par l'émotion une aspiration nouvelle à la sincérité des sentiments et à l'humanité. Beaumarchais défend et illustre à son tour ces théories avec deux drames, *Eugénie* et *Les Deux Amis*, et un *Essai sur le genre dramatique sérieux* (1767), avant de créer la trilogie de Figaro.

Un goût accru pour le naturel et le réalisme

Dans la seconde moitié du XVIIIe siècle, les comédiens mettent eux aussi plus de naturel et de simplicité dans leurs interprétations, abandonnant le hiératisme de leurs prédécesseurs pour le mouvement et l'utilisation de l'ensemble de l'espace scénique, vidé à partir de 1759 de ses rangs de spectateurs. Le décor fait également l'objet de plus d'attentions. Il varie d'une pièce à l'autre et bénéficie des ressources techniques nouvelles. Auteurs et professionnels du spectacle s'intéressent au jeu de l'acteur, à ses gestes et à ses déplacements. La multiplication des didascalies dans les textes de théâtre, notamment ceux de Beaumarchais, témoigne de l'importance que commence à prendre alors la notion de mise en scène.

L'œuvre dans son siècle

Du Barbier de Séville au Mariage de Figaro

EN 1775, abandonnant le drame, qui ne lui a pas valu le succès escompté, Beaumarchais a opéré avec sa comédie *Le Barbier de Séville* une première brèche dans la rigueur imposée par le système du monopole à la Comédie-Française : on a ri, on s'est ému comme on ne l'avait pas fait depuis longtemps devant cette comédie désinvolte qui frise la farce et comporte même des chansons. La structure et le thème de la pièce n'ont rien de novateur – c'est le thème classique de *L'École des femmes* qui est repris –, mais sa verve, l'énergie qui s'en dégage et le personnage insolent et touchant de Figaro conquièrent le public, qui espère voir bientôt la suite des aventures du barbier.

CETTE SUITE se fait attendre, car la création littéraire est pour Beaumarchais une activité parmi d'autres, dans une vie d'homme d'affaires et d'intrigues politiques agitée. Il effectue pour Louis XVI des missions secrètes en Angleterre et en Hollande. Il soutient aussi la lutte des insurgés américains pour l'indépendance et se lance, en 1778, dans la publication des œuvres complètes de Voltaire, qui vient de mourir. Il fonde également, en 1777, la Société des auteurs dramatiques, destinée à obtenir de la part des théâtres, dont la Comédie-Française, des droits d'auteurs décents.

UNE FOIS ACHEVÉE, en 1778, la nouvelle pièce de Beaumarchais rencontre des difficultés. La lutte menée par le dramaturge contre les Comédiens-Français a rendu difficiles ses relations avec la troupe. En 1781 néanmoins, la situation semble s'être améliorée car la pièce est reçue à l'unanimité par le comité de la Comédie-Française et le rapport du premier censeur est favorable. Mais des rumeurs circulent. Alerté, le roi se fait lire la comédie, qui déclenche sa colère et son interdiction : « C'est détestable, cela ne sera jamais joué. Il faudrait détruire la Bastille pour que la représentation de cette pièce ne fût pas une inconséquence dangereuse. Cet homme se joue de tout ce qu'il faut respecter dans un gouvernement. » Loin de se déclarer vaincu, Beaumarchais se bat pendant trois ans sur tous les fronts pour faire accepter sa pièce, multipliant lectures et démarches, jusqu'à ce qu'enfin le roi cède et autorise, au terme de six censures, la création du *Mariage de Figaro*.

Un succès fou

Le 27 AVRIL 1784, la première a lieu devant un public galvanisé par la publicité que Beaumarchais a faite autour de son combat victorieux contre la censure. Dix heures avant l'ouverture, la foule afflue déjà devant le théâtre. Aristocrates, commis, artisans, tous se bousculent pour obtenir des places, tandis qu'à l'intérieur trois cents privilégiés festoient en attendant le lever de rideau. À l'ouverture des portes, la salle est littéralement prise d'assaut. Commencée à cinq heures, la représentation ne s'achève qu'à dix heures et demie du soir. Des costumes et des décors éblouissants, une distribution exceptionnelle, d'innombrables figurants, une musique, des chansons et des danses à ravir, des rebondissements incessants, du rire, des larmes : c'est un spectacle inouï, une fête pour les sens et l'esprit, un triomphe pour l'impertinent valet et son créateur. Fustigée par la presse – qui lui reproche la complexité de son intrigue, son style vulgaire et surtout son immoralité –, condamnée par l'Église, interrompue au début de 1785 à la suite d'un mot malheureux du dramaturge qui blesse Louis XVI et lui vaut un bref emprisonnement à Saint-Lazare, la pièce reprend pourtant le 17 août de la même année et est jouée plus de cent fois jusqu'en 1800. C'est probablement le plus grand succès du XVIIIe siècle. En cinquante ans, elle donne lieu à une trentaine de parodies ou de continuations. Surtout, deux ans après sa création, Mozart compose son opéra, *Les Noces de Figaro,* qui parachève l'œuvre de Beaumarchais.

L'œuvre dans son siècle

Une pièce singulière

PAR SON TITRE, *La Folle Journée ou Le Mariage de Figaro*, la pièce se présente d'emblée comme la suite des aventures de ce barbier au nom désormais célèbre : Beaumarchais sait tirer parti de ses succès. Mais il sait aussi qu'il faut intriguer. Pourquoi cette interversion du titre et du sous-titre ? Annonce-t-elle un renversement ? Dans *Le Barbier de Séville ou La Précaution inutile*, Bartholo a été dupé par Figaro et le Comte. N'est-ce pas au tour du Comte et de Figaro d'être les dupes ? L'expression « folle journée » ainsi placée donne en tout cas une impression carnavalesque de monde à l'envers, où les rôles – ceux de maître et de valet, de sexe faible et de sexe fort ? – pourraient bien être inversés. Mais elle renvoie aussi au principe déjà mis en œuvre dans la comédie précédente : une intrigue étourdissante qui met l'un des protagonistes (Bartholo) dans un état d'égarement proche de la folie. En mentionnant dès le titre de sa comédie cette folie à l'efficacité dramatique avérée, Beaumarchais voulait-il nous préparer à ce moment vertigineux de la pièce qu'est le monologue démesuré de Figaro, au début du dernier acte ?

AUTRE NOUVEAUTÉ, le titre ne fait pas explicitement référence à un motif théâtral connu (comme avec *La Précaution inutile*), alors que la pièce s'inspire d'un thème mineur mais déjà mis en scène plusieurs fois dans les dernières décennies, celui du droit du seigneur. Il s'agit en effet d'empêcher que le comte Almaviva, rétablissant en quelque sorte le droit du seigneur ou « droit de cuissage », n'achète les faveurs de Suzanne avant son mariage avec Figaro. Beaumarchais a donc choisi de ne pas souligner dans son titre le principe imitatif, mais de marquer son émancipation par rapport aux modèles existants en renvoyant seulement à son propre univers et à l'étourdissement qui le caractérise. De fait, *Le Mariage de Figaro* se singularise dans son siècle. Jamais, jusque-là, on n'avait développé une intrigue aussi ingénieuse, ni montré une telle impertinence dans la dénonciation des abus et la peinture du désordre amoureux.

Lire l'œuvre aujourd'hui

Une pièce endiablée

Le Mariage de Figaro est une performance : 16 personnages et une foule de figurants se succèdent à vive allure sur scène, les mots d'esprit fusent, les rôles et les costumes s'échangent, en un instant l'on bascule de la sérénité à l'inquiétude. Beaumarchais y rassemble les formes les plus variées de comédie et de comique : il met en scène des personnages tout droit sortis de la farce – tels le paysan Antonio, Brid'oison, le juge bègue ou son acolyte Double-Main –, fait voler les gifles et les baisers, s'inspire d'un motif éminemment farcesque, le cocuage. Il emprunte aussi de nombreux caractères (valet malicieux, ingénue, vieux barbon...) et d'autres motifs (scènes de reconnaissance, personnages cachés, déguisements, quiproquos) à la comédie d'intrigue. Il rend enfin hommage à la comédie de mœurs en peignant des personnages nuancés : épouse fidèle mais combattant « un goût naissant » pour Chérubin, mari libertin mais conscient de céder à un caprice, valet sentimental et philosophe, etc. Là-dessus, Beaumarchais multiplie les allusions grivoises, les calembours, les joutes verbales, les tirades ironiques et satiriques et les références à l'actualité, assaisonnant toute la pièce d'un sel comique qui lui confère désinvolture et insolence. Mais la virtuosité du *Mariage* réside également dans l'alternance – et parfois l'incertitude – entre légèreté et gravité. Autant l'idée de duper le Comte est comique, autant sa réalisation suscite mélancolie, remises en cause et épisodes dramatiques. Derrière le jeu se devinent les affres du sentiment amoureux, la violence des rapports entre les individus et l'âpreté de la course au bonheur quand on n'a plus la jeunesse et l'insouciance de Chérubin.

Une déstabilisation voulue

Emporté dans ce mouvement incessant, l'équilibre même du spectateur se trouve menacé. En accumulant intrigues et péripéties, la pièce le maintient dans un état de constante inquiétude. Elle le force aussi à changer de point de vue, le sollicitant tantôt de se moquer du Comte avec Figaro, tantôt de Figaro avec Suzanne et la Comtesse, ou avec Chérubin. Et s'il plaint Rosine d'avoir un mari libertin, tout l'incite à penser que celle-ci céderait volontiers à Chérubin. Beaumarchais déconcerte encore en dévoilant à travers ses dialogues les secrets de la fabrique théâtrale, et en se servant de Figaro comme porte-parole des vicissitudes et des interrogations de sa propre existence.

Une folle aspiration au bonheur

Le Mariage de Figaro met aussi au jour le déséquilibre qui menace chacun, inéluctablement tiraillé entre ce qui fait loi, dans la famille, dans la société, dans l'art, et un irrépressible désir de bonheur et de liberté. Figaro s'efforce, aidé de Suzanne, de défendre son mariage contre un maître sans scrupules. Il lance des traits acérés contre le pouvoir et les gens de lettres qui abusent de leurs positions et entravent sa liberté, au point qu'on a pu voir en lui un précurseur de la Révolution. Le Comte entend poursuivre sa vie de libertin sans renoncer à l'ordre établi dans son fief et dans son couple. La Comtesse tente d'assagir un mari volage, tout en rêvant de prendre des libertés avec Chérubin. Le petit page voudrait avoir toutes les femmes, et échapper à tout embrigadement... Beaumarchais, lui, brise les carcans de la comédie classique et se retrouve dans ses personnages, ceux qui aspirent à un nouvel ordre social où chacun pourrait jouir pleinement de sa liberté, comme ceux que taraude un désir toujours adolescent, inlassable fauteur de désordre.

LA FOLLE JOURNÉE,

LE MARIAGE DE FIGARO,

Comédie en cinq Actes, en Profe,

PAR M. DE BEAUMARCHAIS.

Repréfentée pour la première fois par les Comédiens Français ordinaires du Roi, le Mardi 27 Avril 1784.

> En faveur du badinage,
> Faites grace à la raifon. *Vaud. de la Piece.*

AU PALAIS-ROYAL,

Chez RUAULT, Libraire, près le Théâtre, N° 216.

M. DCC. LXXXV.

Page de titre du *Mariage de Figaro*.

Le Mariage de Figaro

Beaumarchais

Comédie (1784)

Épître dédicatoire[1]

Aux personnes trompées sur ma pièce et qui n'ont pas voulu la voir.

Ô vous que je ne nommerai point ! Cœurs généreux, esprits justes, à qui l'on a donné des préventions contre un ouvrage réfléchi, beaucoup plus gai qu'il n'est frivole ; soit que vous l'acceptiez ou non, je vous en fais l'hommage, et 5 c'est tromper l'envie dans une de ses mesures. Si le hasard vous la fait lire, il la trompera dans une autre, en vous montrant quelle confiance est due à tant de rapports qu'on vous fait !

Un objet de pur agrément peut s'élever encore à l'hon- 10 neur d'un plus grand mérite : c'est de vous rappeler cette vérité de tous les temps, qu'on connaît mal les hommes et les ouvrages quand on les juge sur la foi d'autrui ; que les personnes, surtout dont l'opinion est d'un grand poids, s'exposent à glacer sans le vouloir ce qu'il fallait peut être 15 encourager, lorsqu'elles négligent de prendre pour base de leurs jugements le seul conseil qui soit bien pur : celui de leurs propres lumières.

Ma résignation égale mon profond respect.

L'AUTEUR.

---

1. **Épître dédicatoire :** Beaumarchais avait prévu cette dédicace, qu'il renonça finalement à insérer dans les éditions de la pièce. Gudin de La Brenellerie, son ami, biographe et éditeur, fut le premier à la publier en 1809.

Préface[1]

EN ÉCRIVANT cette préface, mon but n'est pas de rechercher oiseusement[2] si j'ai mis au théâtre une pièce bonne ou mauvaise ; il n'est plus temps pour moi : mais d'examiner scrupuleusement (et je le dois toujours) si j'ai fait une œuvre blâmable.

Personne n'étant tenu de faire une comédie qui ressemble aux autres, si je me suis écarté d'un chemin trop battu, pour des raisons qui m'ont paru solides, ira-t-on me juger, comme l'ont fait MM. tels, sur des règles qui ne sont pas les miennes ? imprimer puérilement que je reporte l'art à son enfance, parce que j'entreprends de frayer un nouveau sentier à cet art dont la loi première, et peut-être la seule, est d'amuser en instruisant ? Mais ce n'est pas de cela qu'il s'agit.

Il y a souvent très loin du mal que l'on dit d'un ouvrage à celui qu'on en pense. Le trait qui nous poursuit, le mot qui importune reste enseveli dans le cœur, pendant que la bouche se venge en blâmant presque tout le reste. De sorte qu'on peut regarder comme un point établi au théâtre, qu'en fait de reproche à l'auteur, ce qui nous affecte le plus est ce dont on parle le moins.

Il est peut-être utile de dévoiler, aux yeux de tous, ce double aspect des comédies, et j'aurai fait encore un bon usage de la mienne, si je parviens, en la scrutant, à fixer l'opinion publique sur ce qu'on doit entendre par ces mots : qu'est-ce que LA DÉCENCE THÉÂTRALE ?

---

1. **Préface :** cette préface, destinée à répondre aux détracteurs de la pièce, fut rédigée quelque temps après celle-ci, pour l'édition de 1785.
2. **Oiseusement :** inutilement.

À force de nous montrer délicats, fins connaisseurs et d'affecter, comme j'ai dit autre part[1], l'hypocrisie de la décence auprès du relâchement des mœurs, nous deve-
30 nons des êtres nuls, incapables de s'amuser et de juger de ce qui leur convient, faut-il le dire enfin ? des bégueules[2] rassasiées qui ne savent plus ce qu'elles veulent, ni ce qu'elles doivent aimer ou rejeter. Déjà ces mots si rebattus, *bon ton, bonne compagnie*, toujours ajustés au niveau de
35 chaque insipide coterie[3], et dont la latitude est si grande qu'on ne sait où ils commencent et finissent, ont détruit la franche et vraie gaieté qui distinguait de tout autre le comique de notre nation.

Ajoutez-y le pédantesque abus de ces autres grands
40 mots, *décence* et *bonnes mœurs,* qui donnent un air si important, si supérieur que nos jugeurs[4] de comédies seraient désolés de n'avoir pas à les prononcer sur toutes les pièces de théâtre, et vous connaîtrez à peu près ce qui garrotte le génie, intimide tous les auteurs, et porte un
45 coup mortel à la vigueur de l'intrigue, sans laquelle il n'y a pourtant que du bel esprit à la glace[5] et des comédies de quatre jours.

Enfin, pour dernier mal, tous les états de la société sont parvenus à se soustraire à la censure dramatique : on ne
50 pourrait mettre au théâtre *Les Plaideurs* de Racine, sans entendre aujourd'hui les Dandins et les Brid'oisons[6], même des gens plus éclairés, s'écrier qu'il n'y a plus ni mœurs ni respect pour les magistrats.

---

1. **Autre part :** dans la « Lettre modérée sur la chute et la critique du *Barbier de Séville* » publiée en préface à l'édition de la pièce en 1775.
2. **Bégueules :** femmes sottes, ridicules, impertinentes (terme péjoratif).
3. **Coterie :** cercle de personnes partageant les mêmes idées.
4. **Jugeurs de comédies :** censeurs, journalistes, critiques littéraires.
5. **Bel esprit à la glace :** humour froid, qui laisse le spectateur indifférent.
6. **Les Dandins et les Brid'oisons :** personnages de juges ; Dandin dans *Les Plaideurs* (1668), Brid'oison dans *Le Mariage de Figaro.*

On ne ferait point le *Turcaret*[1], sans avoir à l'instant sur les bras fermes, sous-fermes, traites et gabelles, droits-réunis, tailles, taillons, le trop-plein, le trop-bu, tous les impositeurs[2] royaux. Il est vrai qu'aujourd'hui *Turcaret* n'a plus de modèles. On l'offrirait sous d'autres traits, l'obstacle resterait le même.

On ne jouerait point les fâcheux, les marquis, les emprunteurs de Molière[3], sans révolter à la fois la haute, la moyenne, la moderne et l'antique noblesse. Ses *Femmes savantes* irriteraient nos féminins bureaux[4] d'esprit. Mais quel calculateur peut évaluer la force et la longueur du levier qu'il faudrait, de nos jours, pour élever jusqu'au théâtre l'œuvre sublime du *Tartuffe* ? Aussi l'auteur qui se compromet avec le public *pour l'amuser ou pour l'instruire,* au lieu d'intriguer à son choix son ouvrage, est-il obligé de tourniller[4] dans des incidents impossibles, de persifler au lieu de rire, et de prendre ses modèles hors de la société, crainte de se trouver mille ennemis, dont il ne connaissait aucun en composant son triste drame.

J'ai donc réfléchi que, si quelque homme courageux ne secouait pas toute cette poussière, bientôt l'ennui des pièces françaises porterait la nation au frivole opéra-comique[6], et plus loin encore, aux boulevards, à ce ramas infect de tréteaux[7] élevés à notre honte, où la décente liberté, bannie du théâtre français, se change en une licence effrénée, où

---

1. **Turcaret** : comédie de Lesage (1709) mettant en scène un financier insupportable.
2. **Fermes [...] impositeurs** : noms de différents impôts et, par métonymie, administrations et personnes chargées de lever ces impôts.
3. **Emprunteurs de Molière** : tels les personnages de Dorante dans *Le Bourgeois gentilhomme,* ou de M. Dimanche dans *Dom Juan,* IV, 3.
4. **Bureaux** : lieux destinés à l'expédition de certaines affaires.
5. **Tourniller** : tourner en tous sens (néologisme de l'auteur).
6. **Opéra-comique** : théâtre privé où l'on présentait des pièces entrecoupées de couplets et de musique légère.
7. **Tréteaux** : estrades de bois placées à l'extérieur des théâtres de la foire.

la jeunesse va se nourrir de grossières inepties, et perdre,
80 avec ses mœurs, le goût de la décence et des chefs-d'œuvre
de nos maîtres. J'ai tenté d'être cet homme, et si je n'ai pas
mis plus de talent à mes ouvrages, au moins mon intention s'est-elle manifestée dans tous.

J'ai pensé, je pense encore, qu'on n'obtient ni grand
85 pathétique, ni profonde moralité, ni bon et vrai comique
au théâtre, sans des situations fortes, et qui naissent toujours d'une disconvenance sociale[1] dans le sujet qu'on
veut traiter. L'auteur tragique, hardi dans ses moyens, ose
admettre le crime atroce : les conspirations, l'usurpation
90 du trône, le meurtre, l'empoisonnement, l'inceste, dans
Œdipe et *Phèdre* ; le fratricide dans *Vendôme* ; le parricide
dans *Mahomet* ; le régicide dans *Macbeth*[2], etc., etc. La
comédie, moins audacieuse, n'excède[3] pas les disconve-
nances, parce que ses tableaux sont tirés de nos mœurs,
95 ses sujets, de la société. Mais comment frapper sur l'ava-
rice, à moins de mettre en scène un méprisable avare ?
démasquer l'hypocrisie, sans montrer, comme Orgon, dans
le Tartuffe, un abominable hypocrite, *épousant sa fille et
convoitant sa femme* ? un homme à bonnes fortunes[4], sans
100 le faire parcourir un cercle entier de femmes galantes ? un
joueur[5] effréné, sans l'envelopper de fripons, s'il ne l'est
pas déjà lui-même ?

---

1. **Disconvenance sociale :** décalage ou opposition entre le caractère, la situation d'un personnage et sa condition sociale. Idée reprise aux *Entretiens sur le Fils naturel* (1757) de Diderot.
2. **Phèdre :** tragédie de Racine (1677) ; *Œdipe* (1718) et *Mahomet* (1741) : pièces de Voltaire ; Vendôme : personnage d'*Adélaïde du Guesclin* (1734), tragédie de Voltaire ; *Macbeth* (début XVIIIᵉ siècle), drame de Shakespeare adapté en français par Ducis en 1784.
3. **N'excède :** n'exagère.
4. **Homme à bonnes fortunes :** séducteur. Allusion à *L'Homme à bonnes fortunes*, pièce de Baron (1686).
5. **Joueur :** allusion à une célèbre comédie de Regnard (1696).

Tous ces gens-là sont loin d'être vertueux ; l'auteur ne les donne pas pour tels : il n'est le patron d'aucun d'eux, il est le peintre de leurs vices. Et parce que le lion est féroce, le loup vorace et glouton, le renard rusé, cauteleux[1], la fable est-elle sans moralité ? Quand l'auteur la dirige contre un sot que la louange enivre, il fait choir du bec du corbeau le fromage dans la gueule du renard, sa moralité est remplie ; s'il la tournait contre le bas flatteur, il finirait son apologue ainsi : *Le renard s'en saisit, le dévore ; mais le fromage était empoisonné.* La fable est une comédie légère, et toute comédie n'est qu'un long apologue[2] : leur différence est que dans la fable les animaux ont de l'esprit, et que dans notre comédie les hommes sont souvent des bêtes, et, qui pis est, des bêtes méchantes.

Ainsi, lorsque Molière, qui fut si tourmenté par les sots, donne à l'avare un fils prodigue et vicieux qui lui vole sa cassette et l'injurie en face, est-ce des vertus ou des vices qu'il tire sa moralité ? Que lui importent ses fantômes ? c'est vous qu'il entend corriger. Il est vrai que les afficheurs et balayeurs[3] littéraires de son temps ne manquèrent pas d'apprendre au bon public combien tout cela était horrible ! Il est aussi prouvé que des envieux très importants, ou des importants très envieux, se déchaînèrent contre lui. Voyez le sévère Boileau, dans son épître[4] au grand Racine, venger son ami qui n'est plus, en rappelant ainsi les faits :

L'Ignorance et l'Erreur, à ses naissantes pièces,
En habits de marquis, en robes de comtesses,
Venaient pour diffamer son chef-d'œuvre nouveau,
Et secouaient la tête à l'endroit le plus beau.
Le commandeur voulait la scène plus exacte ;

---

1. **Cauteleux :** prudent et rusé.
2. **Apologue :** récit à visée moralisatrice.
3. **Afficheurs et balayeurs :** les critiques littéraires.
4. **Épître :** Boileau, Épître VII, « Sur l'utilité des ennemis » (1677).

Le vicomte, indigné, sortait au second acte :
135   *L'un, défenseur zélé des dévots mis en jeu,*
      Pour prix de ses bons mots le condamnait au feu
      L'autre, fougueux marquis, lui déclarant la guerre,
      Voulait venger la Cour immolée au parterre.

On voit même dans un placet[1] de Molière à Louis XIV,
140   qui fut si grand en protégeant les arts, et sans le goût éclairé
duquel notre théâtre n'aurait pas un seul chef-d'œuvre de
Molière ; on voit ce philosophe auteur se plaindre amère-
ment au roi que, pour avoir démasqué les hypocrites, ils
imprimaient partout qu'il était *un libertin, un impie, un*
145   *athée, un démon vêtu de chair, habillé en homme* ; et cela
s'imprimait avec APPROBATION ET PRIVILÈGE[2] de ce roi qui le
protégeait : rien là-dessus n'est empiré.

Mais, parce que les personnages d'une pièce s'y montrent
sous des mœurs vicieuses, faut-il les bannir de la scène ?
150   Que poursuivrait-on au théâtre ? les travers et les ridicules ?
cela vaut bien la peine d'écrire ! Ils sont chez nous comme
les modes : on ne s'en corrige point, on en change.

Les vices, les abus, voilà ce qui ne change point, mais se
déguise en mille formes sous le masque des mœurs domi-
155   nantes : leur arracher ce masque et les montrer à décou-
vert, telle est la noble tâche de l'homme qui se voue au
théâtre. Soit qu'il moralise en riant, soit qu'il pleure en
moralisant, Héraclite ou Démocrite[3], il n'a pas un autre
devoir. Malheur à lui, s'il s'en écarte ! On ne peut corriger
160   les hommes qu'en les faisant voir tels qu'ils sont. La comédie utile et véridique n'est point un éloge menteur, un
vain discours d'académie.

---

1. **Placet :** courte demande écrite pour obtenir une grâce, une faveur. Ici,
   placet écrit au moment de « l'affaire du *Tartuffe* ».
2. **Approbation et privilège :** expression sanctionnant l'autorisation de
   publication délivrée par la censure royale.
3. **Héraclite ou Démocrite :** philosophes grecs de l'Antiquité, le premier
   symbolisant le sérieux et le pessimisme, le second, le rire et l'optimisme.

Mais gardons-nous bien de confondre cette critique générale, un des plus nobles buts de l'art, avec la satire odieuse et personnelle : l'avantage de la première est de corriger sans blesser. Faites prononcer au théâtre, par l'homme juste, aigri de l'horrible abus des bienfaits, *tous les hommes sont des ingrats* : quoique chacun soit bien près de penser comme lui, personne ne s'offensera. Ne pouvant y avoir un ingrat sans qu'il existe un bienfaiteur, ce reproche même établit une balance égale entre les bons et mauvais cœurs ; on le sent et cela console. Que si l'humoriste[1] répond *qu'un bienfaiteur fait cent ingrats*, on répliquera justement *qu'il n'y a peut-être pas un ingrat qui n'ait été plusieurs fois bienfaiteur* : cela console encore. Et c'est ainsi qu'en généralisant, la critique la plus amère porte du fruit sans nous blesser, quand la satire personnelle, aussi stérile que funeste, blesse toujours et ne produit jamais. Je hais partout cette dernière, et je la crois un si punissable abus, que j'ai plusieurs fois d'office invoqué la vigilance du magistrat pour empêcher que le théâtre ne devînt une arène de gladiateurs, où le puissant se crût en droit de faire exercer ses vengeances par les plumes vénales[2], et malheureusement trop communes, qui mettent leur bassesse à l'enchère.

N'ont-ils donc pas assez, ces Grands, des mille et un feuillistes[3], faiseurs de bulletins, afficheurs, pour y trier les plus mauvais, en choisir un bien lâche, et dénigrer qui les offusque ? On tolère un si léger mal, parce qu'il est sans conséquence, et que la vermine éphémère démange un instant et périt ; mais le théâtre est un géant qui blesse à mort tout ce qu'il frappe. On doit réserver ses grands coups pour les abus et pour les maux publics.

Ce n'est donc ni le vice ni les incidents qu'il amène, qui font l'indécence théâtrale ; mais le défaut de leçons et de

---

1. **Humoriste :** homme d'humeur sombre.
2. **Vénales :** que l'on peut acheter.
3. **Feuillistes :** journalistes (néologisme péjoratif de l'auteur).

195 moralité. Si l'auteur, ou faible ou timide, n'ose en tirer de son sujet voilà ce qui rend sa pièce équivoque ou vicieuse.

Lorsque je mis *Eugénie*[1] au théâtre (et il faut bien que je me cite, puisque c'est toujours moi qu'on attaque), lorsque je mis *Eugénie* au théâtre, tous nos jurés-crieurs[2] à la
200 décence jetaient des flammes dans les foyers sur ce que j'avais osé montrer un seigneur libertin, habillant ses valets en prêtres, et feignant d'épouser une jeune personne qui paraît enceinte au théâtre, sans avoir été mariée.

Malgré leurs cris, la pièce a été jugée, sinon le meilleur,
205 au moins le plus moral des drames, constamment jouée sur tous les théâtres et traduite dans toutes les langues. Les bons esprits ont vu que la moralité, que l'intérêt y naissaient entièrement de l'abus qu'un homme puissant et vicieux fait de son nom, de son crédit pour tourmenter
210 une faible fille sans appui, trompée, vertueuse et délaissée. Ainsi tout ce que l'ouvrage a d'utile et de bon naît du courage qu'eut l'auteur d'oser porter la disconvenance sociale au plus haut point de liberté.

Depuis, j'ai fait *Les Deux Amis*[3], pièce dans laquelle un
215 père avoue à sa prétendue nièce qu'elle est sa fille illégitime ; ce drame est aussi très moral, parce qu'à travers les sacrifices de la plus parfaite amitié, l'auteur s'attache à y montrer les devoirs qu'impose la nature sur les fruits d'un ancien amour, que la rigoureuse dureté des convenances
220 sociales, ou plutôt leur abus, laisse trop souvent sans appui.

Entre autres critiques de la pièce, j'entendis, dans une loge, auprès de celle que j'occupais, un jeune *important* de la Cour qui disait gaiement à des dames : « L'auteur, sans doute, est un garçon fripier, qui ne voit rien de plus élevé
225 que des commis des Fermes, et des marchands d'étoffes ;

---

1. *Eugénie* : drame de Beaumarchais (1767).
2. *Jurés-crieurs* : officiers publics chargés de faire les annonces au nom des particuliers. Désigne ici les censeurs.
3. *Les Deux Amis* : drame de Beaumarchais (1770).

et c'est au fond d'un magasin qu'il va chercher les nobles amis qu'il traduit à la scène française. – Hélas ! monsieur, lui dis-je en m'avançant, il a fallu du moins les prendre où il n'est pas impossible de les supposer. Vous ririez bien plus de l'auteur s'il eût tiré deux vrais amis de l'Œil-de-bœuf[1] ou des carrosses ? Il faut un peu de vraisemblance, même dans les actes vertueux. »

Me livrant à mon gai caractère, j'ai depuis tenté, dans *Le Barbier de Séville*[2], de ramener au théâtre l'ancienne et franche gaieté, en l'alliant avec le ton léger de notre plaisanterie actuelle ; mais comme cela même était une espèce de nouveauté, la pièce fut vivement poursuivie. Il semblait que j'eusse ébranlé l'État ; l'excès des précautions qu'on prit et des cris qu'on fit contre moi décelait surtout la frayeur que certains vicieux de ce temps avaient de s'y voir démasqués. La pièce fut censurée quatre fois, cartonnée[3] trois fois sur l'affiche, à l'instant d'être jouée, dénoncée même au Parlement d'alors, et moi, frappé de ce tumulte, je persistais à demander que le public restât le juge de ce que j'avais destiné à l'amusement du public.

Je l'obtins au bout de trois ans[4]. Après les clameurs, les éloges, et chacun me disait tout bas : « Faites-nous donc des pièces de ce genre, puisqu'il n'y a plus que vous qui osiez rire en face. »

Un auteur désolé par la cabale et les criards, mais qui voit sa pièce marcher, reprend courage ; et c'est ce que j'ai fait. Feu M. le prince de Conti, de patriotique mémoire (car en frappant l'air de son nom, l'on sent vibrer le vieux mot

---

1. **L'Œil-de-bœuf** : salle du château de Versailles où les courtisans attendaient d'être reçus au lever du roi.
2. *Le Barbier de Séville* : comédie (1775).
3. **Cartonnée** : annulée. Un placard de carton, collé sur l'affiche de la pièce, annonçait une nouvelle pièce.
4. **Au bout de trois ans** : la pièce fut composée en 1772, sous la forme d'un opéra-comique.

patrie), feu M. le prince de Conti[1], donc, me porta le défi
255 public de mettre au théâtre ma préface du *Barbier,* plus
gaie, disait-il, que la pièce, et d'y montrer la famille de
Figaro, que j'indiquais dans cette préface. « Monseigneur,
lui répondis-je, si je mettais une seconde fois ce caractère
sur la scène, comme je le montrerais plus âgé, qu'il en sau-
260 rait quelque peu davantage, ce serait bien un autre bruit ;
et qui sait s'il verrait le jour ! » Cependant, par respect,
j'acceptai le défi ; je composai cette *Folle Journée,* qui cause
aujourd'hui la rumeur. Il daigna la voir le premier. C'était
un homme d'un grand caractère, un prince auguste, un
265 esprit noble et fier : le dirai-je ? il en fut content.

Mais quel piège, hélas ! j'ai tendu au jugement de nos
critiques en appelant ma comédie du vain nom de *Folle
Journée* ! Mon objet était bien de lui ôter quelque importance ; mais je ne savais pas encore à quel point un chan-
270 gement d'annonce peut égarer tous les esprits. En lui laissant son véritable titre, on eût lu *L'Époux suborneur*[2].
C'était pour eux une autre piste, on me courait[3] différem-
ment. Mais ce nom de *Folle Journée* les a mis à cent lieues
de moi : ils n'ont plus rien vu dans l'ouvrage que ce qui
275 n'y sera jamais ; et cette remarque un peu sévère sur la
facilité de prendre le change a plus d'étendue qu'on ne
croit. Au lieu du nom de *George Dandin*[4], si Molière eût
appelé son drame *La Sottise des alliances,* il eût porté bien
plus de fruit ; si Regnard eût nommé son *Légataire*[5], *La
280 Punition du célibat,* la pièce nous eût fait frémir. Ce à quoi
il ne songea pas, je l'ai fait avec réflexion. Mais qu'on ferait

---

1. **Le prince de Conti** : beau-fils du Régent et protecteur de
Beaumarchais (1717-1776).
2. *L'Époux suborneur* : premier titre auquel Beaumarchais avait pensé
pour sa pièce. Suborneur : séducteur.
3. **Courait** : poursuivait.
4. *George Dandin* : comédie de Molière (1668).
5. *Légataire* : *Le Légataire universel*, comédie de Regnard (1708).

un beau chapitre sur tous les jugements des hommes et la morale du théâtre, et qu'on pourrait intituler : *De l'influence de l'affiche !*

Quoi qu'il en soit, *La Folle Journée* resta cinq ans au porte- feuille ; les comédiens ont su que je l'avais, ils me l'ont enfin arrachée. S'ils ont bien ou mal fait pour eux, c'est ce qu'on a pu voir depuis. Soit que la difficulté de la rendre excitât leur émulation, soit qu'ils sentissent avec le public que pour lui plaire en comédie, il fallait de nouveaux efforts, jamais pièce aussi difficile n'a été jouée avec autant d'ensemble, et si l'auteur (comme on le dit) est resté au- dessous de lui-même, il n'y a pas un seul acteur dont cet ouvrage n'ait établi, augmenté ou confirmé la réputation. Mais revenons à sa lecture, à l'adoption des Comédiens.

Sur l'éloge outré qu'ils en firent, toutes les sociétés vou- lurent le connaître, et dès lors il fallut me faire des querelles de toute espèce, ou céder aux instances universelles. Dès lors aussi les grands ennemis de l'auteur ne manquèrent pas de répandre à la Cour qu'il blessait dans cet ouvrage, d'ailleurs *un tissu de bêtises*, la religion, le gouvernement, tous les états de la société, les bonnes mœurs, et qu'enfin la vertu y était opprimée, et le vice triomphant, *comme de raison*, ajoutait-on. Si les graves messieurs qui l'ont tant répété me font l'honneur de lire cette préface, ils y verront au moins que j'ai cité bien juste ; et la bourgeoise intégrité que je mets à mes citations n'en fera que mieux ressortir la noble infidélité des leurs.

Ainsi dans *Le Barbier de Séville*, je n'avais qu'ébranlé l'État ; dans ce nouvel essai plus infâme et plus séditieux, je le renversais de fond en comble. Il n'y avait plus rien de sacré, si l'on permettait cet ouvrage. On abusait l'autorité par les plus insidieux rapports ; on cabalait auprès des corps puissants ; on alarmait les dames timorées ; on me faisait des ennemis sur le prie-dieu des oratoires : et moi, selon les hommes et les lieux, je repoussais la basse intrigue par mon excessive patience, par la roideur de mon respect,

285

290

295

300

305

310

315

l'obstination de ma docilité ; par la raison, quand on voulait l'entendre.

320   Ce combat a duré quatre ans[1]. Ajoutez-les aux cinq du
portefeuille : que reste-t-il des allusions qu'on s'efforce à
voir dans l'ouvrage ? Hélas ! quand il fut composé, tout ce
qui fleurit aujourd'hui n'avait pas même encore germé :
c'était tout un autre univers.

325   Pendant ces quatre ans de débat, je ne demandais qu'un
censeur ; on m'en accorda cinq ou six[2]. Que virent-ils
dans l'ouvrage, objet d'un tel déchaînement ? La plus
badine des intrigues. Un grand seigneur espagnol, amoureux d'une jeune fille qu'il veut séduire, et les efforts que
330   cette fiancée, celui qu'elle doit épouser, et la femme du
seigneur, réunissent pour faire échouer dans son dessein
un maître absolu, que son rang, sa fortune et sa prodigalité rendent tout-puissant pour l'accomplir. Voilà tout, rien
de plus. La pièce est sous vos yeux.

335   D'où naissaient donc ces cris perçants ? De ce qu'au lieu
de poursuivre un seul caractère vicieux, comme le joueur,
l'ambitieux, l'avare, ou l'hypocrite, ce qui ne lui eût mis sur
les bras qu'une seule classe d'ennemis, l'auteur a profité
d'une composition légère, ou plutôt a formé son plan de
340   façon à y faire entrer la critique d'une foule d'abus qui désolent
la société. Mais comme ce n'est pas là ce qui gâte un
ouvrage aux yeux du censeur éclairé, tous, en l'approu-
vant, l'ont réclamé pour le théâtre. Il a donc fallu l'y souffrir : alors les grands du monde ont vu jouer avec scandale
345   *Cette pièce où l'on peint un insolent valet*
      Disputant sans pudeur son épouse à son maître.

                                              M. GUDIN[3]

---

1. **Quatre ans :** de 1781 à 1784.
2. **Cinq ou six :** nombre de censeurs avant que la représentation put
   enfin être autorisée en 1784.
3. **Gudin :** Gudin de la Brenellerie (1738-1812), ami de Beaumarchais, il
   écrivit sa biographie et édita ses œuvres.

Oh ! que j'ai de regret de n'avoir pas fait de ce sujet moral une tragédie bien sanguinaire ! Mettant un poignard à la main de l'époux outragé, que je n'aurais pas nommé Figaro, dans sa jalouse fureur je lui aurais fait noblement poignarder le Puissant vicieux ; et comme il aurait vengé son honneur dans des vers carrés, bien ronflants, et que mon jaloux, tout au moins général d'armée, aurait eu pour rival quelque tyran bien horrible et régnant au plus mal sur un peuple désolé, tout cela, très loin de nos mœurs, n'aurait, je crois, blessé personne ; on eût crié *Bravo ! ouvrage bien moral !* Nous étions sauvés, moi et mon Figaro sauvage.

Mais ne voulant qu'amuser nos Français et non faire ruisseler les larmes de leurs épouses, de mon coupable amant j'ai fait un jeune seigneur de ce temps-là, prodigue, assez galant, même un peu libertin, à peu près comme les autres seigneurs de ce temps-là. Mais qu'oserait-on dire au théâtre d'un seigneur, sans les offenser tous, sinon de lui reprocher son trop de galanterie ? N'est-ce pas là le défaut le moins contesté par eux-mêmes ? J'en vois beaucoup, d'ici, rougir modestement (et c'est un noble effort) en convenant que j'ai raison.

Voulant donc faire le mien coupable, j'ai eu le respect généreux de ne lui prêter aucun des vices du peuple. Direz-vous que je ne le pouvais pas, que c'eût été blesser toutes les vraisemblances ? Concluez donc en faveur de ma pièce, puisque enfin je ne l'ai pas fait.

Le défaut même dont je l'accuse n'aurait produit aucun mouvement comique, si je ne lui avais gaiement opposé l'homme le plus dégourdi de sa nation, le *véritable Figaro*, qui, tout en défendant Suzanne, sa propriété, se moque des projets de son maître, et s'indigne très plaisamment qu'il ose jouter de ruse avec lui, maître passé dans ce genre d'escrime.

Ainsi, d'une lutte assez vive entre l'abus de la puissance, l'oubli des principes, la prodigalité, l'occasion, tout ce que

la séduction a de plus entraînant, et le feu, l'esprit, les res-
385 sources que l'infériorité piquée au jeu peut opposer à cette
attaque, il naît dans ma pièce un jeu plaisant d'intrigue, où
l'époux suborneur, contrarié, lassé, harassé, toujours
arrêté dans ses vues, est obligé, trois fois dans cette journée, de tomber aux pieds de sa femme, qui, bonne, indul-
390 gente et sensible, finit par lui pardonner : c'est ce qu'elles font
toujours. Qu'a donc cette moralité de blâmable, messieurs ?

La trouvez-vous un peu badine pour le ton grave que je
prends ? Accueillez-en une plus sévère qui blesse vos
yeux dans l'ouvrage, quoique vous ne l'y cherchiez pas :
395 c'est qu'un seigneur assez vicieux pour vouloir prostituer
à ses caprices tout ce qui lui est subordonné, pour se
jouer, dans ses domaines, de la pudicité de toutes ses jeunes
vassales, doit finir, comme celui-ci, par être la risée de ses
valets. Et c'est ce que l'auteur a très fortement prononcé,
400 lorsqu'en fureur, au cinquième acte, Almaviva, croyant
confondre une femme infidèle, montre à son jardinier un
cabinet, en lui criant : *Entres-y toi, Antonio ; conduis
devant son juge l'infâme qui m'a déshonoré ;* et que celui-ci
lui répond : *Il y a, parguenne, une bonne Providence ! Vous
405 en avez tant fait dans le pays qu'il faut bien aussi qu'à votre
tour... !* [1]

Cette profonde moralité se fait sentir dans tout l'ouvrage ;
et s'il convenait à l'auteur de démontrer aux adversaires
qu'à travers sa forte leçon il a porté la considération pour
410 la dignité du coupable plus loin qu'on ne devait l'attendre
de la fermeté de son pinceau, je leur ferais remarquer que,
croisé dans tous ses projets, le comte Almaviva se voit
toujours humilié, sans être jamais avili.

En effet, si la Comtesse usait de ruse pour aveugler sa
415 jalousie dans le dessein de le trahir, devenue coupable
elle-même, elle ne pourrait mettre à ses pieds son époux,

---

1. [...] **à votre tour** : *Le Mariage de Figaro*, V, 14.

sans le dégrader à nos yeux. La vicieuse intention de l'épouse brisant un lien respecté, l'on reprocherait justement à l'auteur d'avoir tracé des mœurs blâmables : car nos jugements sur les mœurs se rapportent toujours aux femmes ; on n'estime pas assez les hommes pour tant exiger d'eux sur ce point délicat. Mais, loin qu'elle ait ce vil projet, ce qu'il y a de mieux établi dans l'ouvrage est que nul ne veut faire une tromperie au Comte, mais seulement l'empêcher d'en faire à tout le monde. C'est la pureté des motifs qui sauve ici les moyens du reproche ; et de cela seul que la Comtesse ne veut que ramener son mari, toutes les confusions qu'il éprouve sont certainement très morales, aucune n'est avilissante.

Pour que cette vérité vous frappe davantage, l'auteur oppose à ce mari peu délicat la plus vertueuse des femmes, par goût et par principes.

Abandonnée d'un époux trop aimé, quand l'expose-t-on à vos regards ? Dans le moment critique où sa bienveillance pour un aimable enfant, son filleul, peut devenir un goût dangereux, si elle permet au ressentiment qui l'appuie de prendre trop d'empire sur elle. C'est pour faire mieux sortir l'amour vrai du devoir, que l'auteur la met un moment aux prises avec un goût naissant qui le combat. Oh ! combien on s'est étayé de ce léger mouvement dramatique pour nous accuser d'indécence ! On accorde à la tragédie que toutes les reines, les princesses, aient des passions bien allumées qu'elles combattent plus ou moins ; et l'on ne souffre pas que, dans la comédie, une femme ordinaire puisse lutter contre la moindre faiblesse ! Ô grande *influence de l'affiche* ! jugement sûr et conséquent ! Avec la différence du genre, on blâme ici ce qu'on approuvait là. Et cependant, en ces deux cas, c'est toujours le même principe : point de vertu sans sacrifice.

J'ose en appeler à vous, jeunes infortunées que votre malheur attache à des Almaviva ! Distingueriez-vous toujours votre vertu de vos chagrins, si quelque intérêt

importun, tendant trop à les dissiper, ne vous avertissait enfin qu'il est temps de combattre pour elle ? Le chagrin
455 de perdre un mari n'est pas ici ce qui nous touche un regret aussi personnel est trop loin d'être une vertu. Ce qui nous plaît dans la Comtesse, c'est de la voir lutter franchement contre un goût naissant qu'elle blâme, et des ressentiments légitimes. Les efforts qu'elle fait alors pour
460 ramener son infidèle époux, mettant dans le plus heureux jour les deux sacrifices pénibles de son goût et de sa colère, on n'a nul besoin d'y penser pour applaudir à son triomphe ; elle est un modèle de vertu, l'exemple de son sexe et l'amour du nôtre.

465 Si cette métaphysique[1] de l'honnêteté des scènes, si ce principe avoué de toute décence théâtrale n'a point frappé nos juges à la représentation, c'est vainement que j'en étendrais ici le développement, les conséquences ; un tribunal d'iniquité n'écoute point les défenses de l'accusé qu'il est
470 chargé de perdre, et ma Comtesse n'est point traduite au parlement de la nation : c'est une commission qui la juge.

On a vu la légère esquisse de son aimable caractère dans la charmante pièce d'*Heureusement*[2]. Le goût naissant que la jeune femme éprouve pour son petit cousin
475 l'officier n'y parut blâmable à personne, quoique la tournure des scènes pût laisser à penser que la soirée eût fini d'autre manière, si l'époux ne fût pas rentré, comme dit l'auteur, *heureusement.* Heureusement aussi l'on n'avait pas le projet de calomnier cet auteur : chacun se livra de
480 bonne foi à ce doux intérêt qu'inspire une jeune femme honnête et sensible qui réprime ses premiers goûts ; et notez que, dans cette pièce, l'époux ne paraît qu'un peu sot ; dans la mienne, il est infidèle : ma Comtesse a plus de mérite.

485

---

1. **Métaphysique :** réflexion théorique complexe.
2. **Heureusement :** comédie de Rochon de Chabanne (1762).

Aussi, dans l'ouvrage que je défends, le plus véritable intérêt se porte-t-il sur la Comtesse ; le reste est dans le même esprit.

Pourquoi Suzanne, la camariste spirituelle, adroite et rieuse, a-t-elle aussi le droit de nous intéresser ? C'est qu'attaquée par un séducteur puissant, avec plus d'avantage qu'il n'en faudrait pour vaincre une fille de son état, elle n'hésite pas à confier les intentions du Comte aux deux personnes les plus intéressées à bien surveiller sa conduite : sa maîtresse et son fiancé. C'est que, dans tout son rôle, presque le plus long de la pièce, il n'y a pas une phrase, un mot, qui ne respire la sagesse et l'attachement à ses devoirs : la seule ruse qu'elle se permette est en faveur de sa maîtresse, à qui son dévouement est cher, et dont tous les vœux sont honnêtes.

Pourquoi, dans ses libertés sur son maître, Figaro m'amuse-t-il au lieu de m'indigner ? C'est que, l'opposé des valets, il n'est pas, et vous le savez, le malhonnête homme de la pièce : en le voyant forcé, par son état, de repousser l'insulte avec adresse, on lui pardonne tout, dès qu'on sait qu'il ne ruse avec son seigneur que pour garantir ce qu'il aime, et sauver sa propriété.

Donc, hors le Comte et ses agents, chacun fait dans la pièce à peu près ce qu'il doit. Si vous les croyez malhonnêtes parce qu'ils disent du mal les uns des autres, c'est une règle très fautive. Voyez nos honnêtes gens du siècle : on passe la vie à ne faire autre chose ! Il est même tellement reçu de déchirer sans pitié les absents, que moi, qui les défends toujours, j'entends murmurer très souvent : « Quel diable d'homme, et qu'il est contrariant ! il dit du bien de tout le monde ! »

Est-ce mon page, enfin, qui vous scandalise, et l'immoralité qu'on reproche au fond de l'ouvrage serait-elle dans l'accessoire ? Ô censeurs délicats ! beaux esprits sans fatigue ! inquisiteurs pour la morale, qui condamnez en un clin d'œil les réflexions de cinq années, soyez justes une fois,

sans tirer à conséquence. Un enfant de treize ans, aux premiers battements du cœur, cherchant tout sans rien
démêler, idolâtre, ainsi qu'on l'est à cet âge heureux, d'un
525 objet céleste pour lui, dont le hasard fit sa marraine, est-il
un sujet de scandale ? Aimé de tout le monde au château,
vif, espiègle et brûlant comme tous les enfants spirituels,
par son agitation extrême, il dérange dix fois sans le vouloir les coupables projets du Comte. Jeune adepte de la
530 nature, tout ce qu'il voit a droit de l'agiter : peut-être il
n'est plus un enfant, mais il n'est pas encore un homme ;
et c'est le moment que j'ai choisi pour qu'il obtînt de l'intérêt, sans forcer personne à rougir. Ce qu'il éprouve inno-
cemment, il l'inspire partout de même. Direz-vous qu'on
535 l'aime d'amour ? Censeurs, ce n'est pas là le mot. Vous êtes
trop éclairés pour ignorer que l'amour, même le plus pur, a
un motif intéressé : on ne l'aime donc pas encore ; on sent
qu'un jour on l'aimera. Et c'est ce que l'auteur a mis avec
gaieté dans la bouche de Suzanne, quand elle dit à cet
540 enfant : *Oh ! dans trois ou quatre ans, je prédis que vous
serez le plus grand petit vaurien...*[1]

Pour lui imprimer plus fortement le caractère de l'enfance,
nous le faisons exprès tutoyer par Figaro. Supposez-lui
deux ans de plus, quel valet dans le château prendrait ces
545 libertés ? Voyez-le à la fin de son rôle ; à peine a-t-il un
habit d'officier, qu'il porte la main à l'épée aux premières
railleries du Comte, sur le quiproquo d'un soufflet. Il sera
fier, notre étourdi ! mais c'est un enfant, rien de plus. N'ai-
je pas vu nos dames, dans les loges, aimer mon page à la
550 folie ? Que lui voulaient-elles ? Hélas ! rien : c'était de
l'intérêt aussi ; mais, comme celui de la Comtesse, un pur
et naïf intérêt... un intérêt... sans intérêt.

Mais est-ce la personne du page, ou la conscience du seigneur
qui fait le tournent du dernier toutes les fois que l'auteur les

---

1. [...] **vaurien** ! : *Le Mariage de Figaro*, I, 7.

condamne à se rencontrer dans la pièce ? Fixez ce léger 555
aperçu, il peut vous mettre sur sa voie ; ou plutôt apprenez
de lui que cet enfant n'est amené que pour ajouter à la
moralité de l'ouvrage, en vous montrant que l'homme le
plus absolu chez lui, dès qu'il suit un projet coupable, peut
être mis au désespoir par l'être le moins important, par celui 560
qui redoute le plus de se rencontrer sur sa route.

Quand mon page aura dix-huit ans, avec le caractère vif
et bouillant que je lui ai donné, je serai coupable à mon
tour, si je le montre sur la scène. Mais à treize ans, qu'inspire-
t-il ? Quelque chose de sensible et doux, qui n'est ni ami- 565
tié ni amour, et qui tient un peu de tous deux.

J'aurais de la peine à faire croire à l'innocence de ces
impressions, si nous vivions dans un siècle moins chaste,
dans un de ces siècles de calcul, où, voulant tout préma-
turé comme les fruits de leurs serres chaudes, les Grands 570
mariaient leurs enfants à douze ans, et faisaient plier la
nature, la décence et le goût aux plus sordides convenances,
en se hâtant surtout d'arracher de ces êtres non formés
des enfants encore moins formables, dont le bonheur
n'occupait personne, et qui n'étaient que le prétexte d'un 575
certain trafic d'avantages qui n'avait nul rapport à eux,
mais uniquement à leur nom. Heureusement nous en
sommes bien loin : et le caractère de mon page, sans
conséquence pour lui-même, en a une relative au Comte,
que le moraliste aperçoit, mais qui n'a pas encore frappé le 580
grand commun de nos jugeurs.

Ainsi, dans cet ouvrage, chaque rôle important a quelque
but moral. Le seul qui semble y déroger est le rôle de Marceline.

Coupable d'un ancien égarement dont son Figaro fut le
fruit, elle devrait, dit-on, se voir au moins punie par la 585
confusion de sa faute, lorsqu'elle reconnaît son fils. L'auteur
eût pu même en tirer une moralité plus profonde : dans
les mœurs qu'il veut corriger, la faute d'une jeune fille
séduite est celle des hommes et non la sienne. Pourquoi
donc ne l'a-t-il pas fait ? 590

41

Il l'a fait, censeurs raisonnables ! Étudiez la scène suivante, qui faisait le nerf du troisième acte, et que les Comédiens m'ont prié de retrancher[1], craignant qu'un morceau si sévère n'obscurcît la gaieté de l'action.

595 Quand Molière a bien humilié la coquette ou coquine du *Misanthrope,* par la lecture publique de ses lettres à tous ses amants, il la laisse avilie sous les coups qu'il lui a portés : il a raison ; qu'en ferait-il ? Vicieuse par goût et par choix, veuve aguerrie, femme de Cour, sans aucune
600 excuse d'erreur, et fléau d'un fort honnête homme, il l'abandonne à nos mépris, et telle est sa moralité. Quant à moi, saisissant l'aveu naïf de Marceline au moment de la reconnaissance, je montrais cette femme humiliée, et Bartholo qui la refuse, et Figaro, leur fils commun, diri-
605 geant l'attention publique sur les vrais fauteurs du désordre où l'on entraîne sans pitié toutes les jeunes filles du peuple douées d'une jolie figure.

Telle est la marche de la scène.

BRID'OISON, *parlant de Figaro qui vient de reconnaître sa*
610 *mère en Marceline.* C'est clair : i-il ne l'épousera pas.

BARTHOLO. Ni moi non plus.

MARCELINE. Ni vous ! et votre fils ? Vous m'aviez juré...

BARTHOLO. J'étais fou. Si pareils souvenirs engageaient, on serait tenu d'épouser tout le monde.

615 BRID'OISON. E-et si l'on y regardait de si près, per-ersonne n'épouserait personne.

BARTHOLO. Des fautes si connues ! une jeunesse déplorable.

MARCELINE, *s'échauffant par degrés.* Oui, déplorable, et plus qu'on ne croit ! Je n'entends pas nier mes fautes ; ce
620 jour les a trop bien prouvées ! mais qu'il est dur de les

---

1. **Retrancher :** la scène 16 de l'acte III avait été écourtée par les comédiens lors des premières représentations. Beaumarchais la redonne intégralement dès la première édition.

expier après trente ans d'une vie modeste ! J'étais née, moi, pour être sage, et je la suis devenue sitôt qu'on m'a permis d'user de ma raison. Mais dans l'âge des illusions, de l'inexpérience et des besoins, où les séducteurs nous assiègent pendant que la misère nous poignarde, que peut opposer une enfant à tant d'ennemis rassemblés ? Tel nous juge ici sévèrement, qui, peut-être, en sa vie a perdu dix infortunées !

FIGARO. Les plus coupables sont les moins généreux ; c'est la règle.

MARCELINE, *vivement.* Hommes plus qu'ingrats, qui flétrissez par le mépris les jouets de vos passions, vos victimes ! c'est vous qu'il faut punir des erreurs de notre jeunesse ; vous et vos magistrats, si vains du droit de nous juger, et qui nous laissent enlever, par leur coupable négligence, tout honnête moyen de subsister. Est-il un seul état pour les malheureuses filles ? Elles avaient un droit naturel à toute la parure des femmes : on y laisse former mille ouvriers de l'autre sexe.

FIGARO, *en colère.* Ils font broder jusqu'aux soldats !

MARCELINE, *exaltée.* Dans les rangs même plus élevés, les femmes n'obtiennent de vous qu'une considération dérisoire ; leurrées de respects apparents, dans une servitude réelle ; traitées en mineures pour nos biens, punies en majeures pour nos fautes ! Ah ! sous tous les aspects, votre conduite avec nous fait horreur ou pitié !

FIGARO. Elle a raison !

LE COMTE, *à part.* Que trop raison !

BRID'OISON. Elle a, mon-on Dieu ! raison.

MARCELINE. Mais que nous font, mon fils, les refus d'un homme injuste ? Ne regarde pas d'où tu viens, vois où tu vas : cela seul importe à chacun. Dans quelques mois ta fiancée ne dépendra plus que d'elle-même ; elle t'acceptera, j'en réponds. Vis entre une épouse, une mère tendres

655 qui te chériront à qui mieux mieux. Sois indulgent pour elles, heureux pour toi, mon fils ; gai, libre et bon pour tout le monde ; il ne manquera rien à ta mère.

FIGARO. Tu parles d'or, maman, et je me tiens à ton avis. Qu'on est sot, en effet ! il y a des mille et mille ans que le
660 monde roule, et dans cet océan de durée, où j'ai par hasard attrapé quelques chétifs trente ans qui ne reviendront plus, j'irais me tourmenter pour savoir à qui je les dois ! Tant pis pour qui s'en inquiète. Passer ainsi la vie à chamailler, c'est peser sur le collier sans relâche, comme
665 les malheureux chevaux de la remonte des fleuves, qui ne reposent pas même quand ils s'arrêtent, et qui tirent toujours, quoiqu'ils cessent de marcher. Nous attendrons [1].

J'ai bien regretté ce morceau ; et maintenant que la pièce est connue, si les comédiens avaient le courage de le
670 restituer à ma prière, je pense que le public leur en saurait beaucoup de gré. Ils n'auraient plus même à répondre, comme je fus forcé de le faire à certains censeurs du beau monde, qui me reprochaient à la lecture, de les intéresser pour une femme de mauvaises mœurs : – Non, messieurs,
675 je n'en parle pas pour excuser ses mœurs, mais pour vous faire rougir des vôtres sur le point le plus destructeur de toute honnêteté publique, *la corruption des jeunes personnes* ; et j'avais raison de le dire, que vous trouvez ma pièce trop gaie, parce qu'elle est souvent trop sévère. Il n'y a que
680 façon de s'entendre.

– Mais votre Figaro est un soleil tournant [2], qui brûle, en jaillissant, les manchettes de tout le monde. – Tout le monde est exagéré. Qu'on me sache gré du moins s'il ne brûle pas aussi les doigts de ceux qui croient s'y reconnaître :
685 au temps qui court, on a beau jeu sur cette matière au

---

1. [...] **Nous attendrons** : III, 16.
2. **Soleil tournant** : pièce de feu d'artifice, roue tournante d'où partent les fusées.

théâtre. M'est-il permis de composer en auteur qui sort du collège ? de toujours faire rire des enfants, sans jamais rien dire à des hommes ? Et ne devez-vous pas me passer un peu de morale en faveur de ma gaieté, comme on passe aux Français un peu de folie en faveur de leur raison ? 690

Si je n'ai versé sur nos sottises qu'un peu de critique badine, ce n'est pas que je ne sache en former de plus sévères : quiconque a dit tout ce qu'il sait dans son ouvrage, y a mis plus que moi dans le mien. Mais je garde une foule d'idées qui me pressent pour un des sujets les plus 695 moraux du théâtre, aujourd'hui sur mon chantier : *La Mère coupable*[1], et si le dégoût dont on m'abreuve me permet jamais de l'achever, mon projet étant d'y faire verser des larmes à toutes les femmes sensibles, j'élèverai mon langage à la hauteur de mes situations ; j'y prodiguerai les 700 traits de la plus austère morale, et je tonnerai fortement sur les vices que j'ai trop ménagés. Apprêtez-vous donc bien, messieurs, à me tourmenter de nouveau : ma poitrine a déjà grondé ; j'ai noirci beaucoup de papier au service de votre colère. 705

Et vous, honnêtes indifférents, qui jouissez de tout sans prendre parti sur rien ; jeunes personnes modestes et timides, qui vous plaisez à ma *Folle Journée* (et je n'entreprends sa défense que pour justifier votre goût), lorsque vous verrez dans le monde un de ces hommes tranchants 710 critiquer vaguement la pièce, tout blâmer sans rien désigner, surtout la trouver indécente, examinez bien cet homme-là, sachez son rang, son état, son caractère, et vous connaîtrez sur-le-champ le mot qui l'a blessé dans l'ouvrage. 715

On sent bien que je ne parle pas de ces écumeurs littéraires[2] qui vendent leurs bulletins ou leurs affiches à tant

---

1. **La Mère coupable :** drame (1792) et troisième pièce de la trilogie de Beaumarchais, après *Le Barbier de Séville* et *Le Mariage de Figaro*.
2. **Écumeurs littéraires :** plagiaires.

de liards le paragraphe. Ceux-là, comme l'abbé Bazile, peuvent calomnier ; *ils médiraient qu'on ne les croirait pas*[1].

720 Je parle moins encore de ces libellistes honteux qui n'ont trouvé d'autre moyen de satisfaire leur rage, l'assassinat étant trop dangereux, que de lancer, du cintre de nos salles, des vers infâmes contre l'auteur, pendant que l'on jouait sa pièce. Ils savent que je les connais ; si j'avais eu dessein de les nom-
725 mer, ç'aurait été au ministère public ; leur supplice est de l'avoir craint, il suffit à mon ressentiment. Mais on n'imaginera jamais jusqu'où ils ont osé élever les soupçons du public sur une aussi lâche épigramme[2] ! semblables à ces vils charlatans du Pont-Neuf, qui, pour accréditer leurs drogues, far-
730 cissent d'ordres[3], de cordons, le tableau qui leur sert d'enseigne.

Non, je cite nos importants, qui, blessés, on ne sait pourquoi, des critiques semées dans l'ouvrage, se chargent d'en dire du mal, sans cesser de venir aux noces.

C'est un plaisir assez piquant de les voir d'en bas au
735 spectacle, dans le très plaisant embarras de n'oser montrer ni satisfaction ni colère ; s'avançant sur le bord des loges, prêts à se moquer de l'auteur, et se retirant aussitôt pour celer un peu de grimace ; emportés par un mot de la scène et soudainement rembrunis par le pinceau du moraliste, au
740 plus léger trait de gaieté jouer tristement les étonnés, prendre un air gauche en faisant les pudiques, et regardant les femmes dans les yeux, comme pour leur reprocher de soutenir un tel scandale ; puis, aux grands applaudissements, lancer sur le public un regard méprisant, dont il est écrasé ;
745 toujours prêts à lui dire, comme ce courtisan dont parle Molière, lequel, outré du succès de *L'École des femmes,* criait des balcons au public : *Ris donc, public, ris donc !*[4] En vérité, c'est un plaisir, et j'en ai joui bien des fois.

---

1. [...] *croirait pas* : citation du *Barbier de Séville*, II, 9.
2. **Épigramme** : écrit satirique.
3. **Ordres** : décorations.
4. [...] **ris donc !** : Molière, *Critique de l'École des femmes*, 5.

Celui-là m'en rappelle un autre. Le premier jour de *La Folle Journée,* on s'échauffait dans le foyer (même d'honnêtes plébéiens[1]) sur ce qu'ils nommaient spirituellement *mon audace.* Un petit vieillard sec et brusque, impatienté de tous ces cris, frappe le plancher de sa canne, et dit en s'en allant : *Nos Français sont comme les enfants, qui braillent quand on les éberne*[2]. Il avait du sens, ce vieillard ! Peut-être on pouvait mieux parler, mais pour mieux penser, j'en défie.

Avec cette intention de tout blâmer, on conçoit que les traits les plus sensés ont été pris en mauvaise part. N'ai-je pas entendu vingt fois un murmure descendre des loges à cette réponse de Figaro :

LE COMTE. *Une réputation détestable.*

FIGARO. *Et si je vaux mieux qu'elle ! Y a-t-il beaucoup de seigneurs qui puissent en dire autant*[3] *?*

Je dis, moi, qu'il n'y en a point, qu'il ne saurait y en avoir, à moins d'une exception bien rare. Un homme obscur ou peu connu peut valoir mieux que sa réputation, qui n'est que l'opinion d'autrui. Mais de même qu'un sot en place en paraît une fois plus sot, parce qu'il ne peut plus rien cacher, de même un grand seigneur, l'homme élevé en dignités, que la fortune et sa naissance ont placé sur le grand théâtre, et qui, en entrant dans le monde, eut toutes les préventions pour lui, vaut presque toujours moins que sa réputation s'il parvient à la rendre mauvaise. Une assertion si simple et si loin du sarcasme devait-elle exciter le murmure ? Si son application paraît fâcheuse aux Grands peu soigneux de leur gloire, en quel sens fait-elle épigramme sur ceux qui méritent nos respects ? Et quelle maxime plus juste au théâtre peut servir de frein aux puissants, et tenir lieu de leçon à ceux qui n'en reçoivent point d'autres ?

---

1. **Plébéiens :** hommes du peuple.
2. **Quand on les éberne :** quand on leur essuie les fesses.
3. **[...] en dire autant :** III, 5.

780 Non qu'il faille oublier (a dit un écrivain sévère, et je me plais à le citer, parce que je suis de son avis), « non qu'il faille oublier, dit-il, ce qu'on doit aux rangs élevés : il est juste, au contraire, que l'avantage de la naissance soit le moins contesté de tous, parce que ce bienfait gratuit de 785 l'hérédité, relatif aux exploits, vertus ou qualités des aïeux de qui le reçut, ne peut aucunement blesser l'amour-propre de ceux auxquels il fut refusé ; parce que, dans une monarchie, si l'on ôtait les rangs intermédiaires, il y aurait trop loin du monarque aux sujets ; bientôt on n'y verrait 790 qu'un despote et des esclaves : le maintien d'une échelle graduée du laboureur au potentat[1] intéresse également les hommes de tous les rangs, et peut-être est le plus ferme appui de la constitution monarchique ».

Mais quel auteur parlait ainsi ? Qui faisait cette profes-795 sion de foi sur la noblesse dont on me suppose si loin ? C'était PIERRE AUGUSTIN CARON DE BEAUMARCHAIS plaidant par écrit au parlement[2] d'Aix, en 1778, une grande et sévère question qui décida bientôt de l'honneur d'un noble[3] et du sien ! Dans l'ouvrage que je défends, on n'attaque point 800 les états, mais les abus de chaque état ; les gens seuls qui s'en rendent coupables ont intérêt à le trouver mauvais. Voilà les rumeurs expliquées : mais quoi donc ! les abus sont-ils devenus si sacrés, qu'on n'en puisse attaquer aucun sans lui trouver vingt défenseurs ?

805 Un avocat célèbre, un magistrat respectable iront-ils donc s'approprier le plaidoyer d'un Bartholo, le jugement d'un Brid'oison ? Ce mot de Figaro sur l'indigne abus des plaidoiries de nos jours (*C'est dégrader le plus noble institut*[4]) a bien montré le cas que je fais du noble métier 810

---

1. **Potentat :** souverain.
2. **Parlement :** cour de justice, qui jugeait en appel.
3. **Un noble :** le comte de La Blache.
4. **[...] noble institut :** III, 15.

d'avocat ; et mon respect pour la magistrature ne sera pas plus suspecté quand on saura dans quelle école j'en ai recherché la leçon, quand on lira le morceau suivant, aussi tiré d'un moraliste, lequel, parlant des magistrats, s'exprime en ces termes formels : 815

« Quel homme aisé voudrait, pour le plus modique honoraire, faire le métier cruel de se lever à quatre heures, pour aller au Palais tous les jours s'occuper, sous des formes prescrites, d'intérêts qui ne sont jamais les siens ? d'éprouver sans cesse l'ennui de l'importunité, le dégoût 820 des sollicitations, le bavardage des plaideurs, la monotonie des audiences, la fatigue des délibérations, et la contention d'esprit nécessaire aux prononcés des arrêts, s'il ne se croyait pas payé de cette vie laborieuse et pénible par l'estime et la considération publiques ? Et cette estime est-elle 825 autre chose qu'un jugement, qui n'est même aussi flatteur pour les bons magistrats qu'en raison de sa rigueur excessive contre les mauvais ? »

Mais quel écrivain m'instruisait ainsi par ses leçons ? Vous allez croire encore que c'est PIERRE-AUGUSTIN ; Vous 830 l'avez dit, c'est lui, en 1773, dans son quatrième Mémoire[1], en défendant jusqu'à la mort sa triste existence, attaquée par un soi-disant magistrat. Je respecte donc hautement ce que chacun doit honorer, et je blâme ce qui peut nuire.

– Mais dans cette *Folle Journée*, au lieu de saper les 835 abus, vous vous donnez des libertés très répréhensibles au théâtre ; votre monologue surtout contient, sur les gens disgraciés, des traits qui passent la licence ! – Eh ! croyez-vous, messieurs, que j'eusse un talisman pour tromper, séduire, enchaîner la censure et l'autorité, quand je leur 840 soumis mon ouvrage ? que je n'aie pas dû justifier ce que j'avais osé écrire ? Que fais-je dire à Figaro, parlant à

---

1. **Quatrième Mémoire :** quatrième texte écrit par Beaumarchais contre le conseiller Goëzman.

l'homme déplacé ? *Que les sottises imprimées n'ont d'importance qu'aux lieux où l'on en gêne le cours*[1]. Est-ce donc là
845 une vérité d'une conséquence dangereuse ? Au lieu de ces
inquisitions puériles et fatigantes, et qui seules donnent
de l'importance à ce qui n'en aurait jamais, si, comme en
Angleterre, on était assez sage ici pour traiter les sottises
avec ce mépris qui les tue, loin de sortir du vil fumier qui
850 les enfante, elles y pourriraient en germant, et ne se pro-
pageraient point. Ce qui multiplie les libelles est la faiblesse de les craindre ; ce qui fait vendre les sottises est la
sottise de les défendre.

Et comment conclut Figaro ? *Que, sans la liberté de blâ-
855 mer, il n'est point d'éloge flatteur ; et qu'il n'y a que les petits
hommes qui redoutent les petits écrits*[2]. Sont-ce là des har-
diesses coupables, ou bien des aiguillons de gloire ? des
moralités insidieuses, ou des maximes réfléchies, aussi justes
qu'encourageantes ?

860 Supposez-les le fruit des souvenirs. Lorsque, satisfait du
présent, l'auteur veille pour l'avenir, dans la critique du
passé, qui peut avoir droit de s'en plaindre ? Et si, ne désignant ni temps, ni lieu, ni personnes, il ouvre la voie au
théâtre à des réformes désirables, n'est-ce pas aller à son but ?

865 *La Folle Journée* explique donc comment, dans un temps
prospère, sous un roi juste et des ministres modérés, l'écrivain peut tonner sur les oppresseurs sans craindre de blesser personne. C'est pendant le règne d'un bon prince
qu'on écrit sans danger l'histoire des méchants rois ; et
870 plus le gouvernement est sage, est éclairé, moins la liberté
de dire est en presse[3] : chacun y faisant son devoir, on n'y
craint pas les allusions ; nul homme en place ne redoutant
ce qu'il est forcé d'estimer, on n'affecte point alors d'oppri-

---

1. [...] **le cours :** V, 3.
2. [...] **petits écrits :** V, 3.
3. **En presse :** opprimée.

mer chez nous cette même littérature qui fait notre gloire 875
au-dehors, et nous y donne une sorte de primauté que
nous ne pouvons tirer d'ailleurs.

En effet, à quel titre y prétendrions-nous ? Chaque peuple
tient à son culte et chérit son gouvernement. Nous ne
sommes pas restés plus braves que ceux qui nous ont bat- 880
tus à leur tour. Nos mœurs plus douces, mais non meilleures,
n'ont rien qui nous élève au-dessus d'eux. Notre littérature seule, estimée de toutes les nations, étend l'empire de
la langue française et nous obtient de l'Europe entière une
prédilection avouée qui justifie, en l'honorant, la protec- 885
tion que le gouvernement lui accorde.

Et comme chacun cherche toujours le seul avantage qui
lui manque, c'est alors qu'on peut voir dans nos académies
l'homme de la Cour siéger avec les gens de lettres ; les
talents personnels et la considération héritée se disputer 890
ce noble objet, et les archives académiques se remplir
presque également de papiers et de parchemins.

Revenons à *La Folle Journée*.

Un monsieur de beaucoup d'esprit, mais qui l'économise
un peu trop, me disait un soir au spectacle : – Expliquez- 895
moi donc, je vous prie, pourquoi dans votre pièce on
trouve autant de phrases négligées qui ne sont pas de
votre style ? – De mon style, monsieur ? Si par malheur
j'en avais un, je m'efforcerais de l'oublier quand je fais une
comédie, ne connaissant rien d'insipide au théâtre comme 900
ces fades camaïeux[1] où tout est bleu, où tout est rose, où
tout est l'auteur, quel qu'il soit.

Lorsque mon sujet me saisit, j'évoque tous mes personnages et les mets en situation. – Songe à toi, Figaro, ton
maître va te deviner. Sauvez-vous vite, Chérubin, c'est le 905
Comte que vous touchez. – Ah ! Comtesse, quelle imprudence, avec un époux si violent ! – Ce qu'ils diront, je n'en

---

1. **Camaïeux :** peintures en dégradé d'une seule couleur.

sais rien, c'est ce qu'ils feront qui m'occupe. Puis, quand ils sont bien animés, j'écris sous leur dictée rapide, sûr qu'ils ne me tromperont pas ; que je reconnaîtrai Bazile, lequel n'a pas l'esprit de Figaro, qui n'a pas le ton noble du Comte, qui n'a pas la sensibilité de la Comtesse, qui n'a pas la gaieté de Suzanne, qui n'a pas l'espièglerie du page, et surtout aucun d'eux la sublimité de Brid'oison. Chacun y parle son langage : eh ! que le dieu du naturel les préserve d'en parler d'autre ! Ne nous attachons donc qu'à l'examen de leurs idées, et non à rechercher si j'ai dû leur prêter mon style.

Quelques malveillants ont voulu jeter de la défaveur sur cette phrase de Figaro : *Sommes-nous des soldats qui tuent et se font tuer pour des intérêts qu'ils ignorent ? Je veux savoir, moi, pourquoi je me fâche*[1] *!* À travers le nuage d'une conception indigeste, ils ont feint d'apercevoir *que je répands une lumière décourageante sur l'état pénible du soldat ; et il y a des choses qu'il ne faut jamais dire*. Voilà dans toute sa force l'argument de la méchanceté ; reste à en prouver la bêtise.

Si, comparant la dureté du service à la modicité de la paye, ou discutant tel autre inconvénient de la guerre et comptant la gloire pour rien, je versais de la défaveur sur ce plus noble des affreux métiers, on me demanderait justement compte d'un mot indiscrètement échappé. Mais du soldat au colonel, au général exclusivement, quel imbécile homme de guerre a jamais eu la prétention qu'il dût pénétrer les secrets du cabinet, pour lesquels il fait la campagne ? C'est de cela seul qu'il s'agit dans la phrase de Figaro. Que ce fou-là se montre, s'il existe ; nous l'enverrons étudier sous le philosophe Babouc[2], lequel éclaircit disertement ce point de discipline militaire.

---

1. [...] **pourquoi je me fâche :** V, 12.
2. **Le philosophe Babouc :** personnage principal d'un conte de Voltaire, *Le Monde comme il va* (1748).

En raisonnant sur l'usage que l'homme fait de sa liberté 940
dans les occasions difficiles, Figaro pouvait également
opposer à sa situation tout état qui exige une obéissance
implicite, et le cénobite[1] zélé dont le devoir est de tout
croire sans jamais rien examiner, comme le guerrier valeu-
reux, dont la gloire est de tout affronter sur des ordres 945
non motivés, *de tuer et se faire tuer pour des intérêts qu'il
ignore.* Le mot de Figaro ne dit donc rien, sinon qu'un
homme libre de ses actions doit agir sur d'autres principes
que ceux dont le devoir est d'obéir aveuglément.

Qu'aurait-ce été, bon Dieu ! si j'avais fait usage d'un mot 950
qu'on attribue au grand Condé[2], et que j'entends louer à
outrance par ces mêmes logiciens qui déraisonnent sur
ma phrase ? À les croire, le grand Condé montra la plus
noble présence d'esprit, lorsque, arrêtant Louis XIV prêt à
pousser son cheval dans le Rhin, il dit à ce monarque : 955
Sire, avez-vous besoin du bâton de maréchal ?

Heureusement on ne prouve nulle part que ce grand
homme ait dit cette grande sottise. C'eût été dire au roi,
devant toute son armée : « Vous moquez-vous donc, Sire,
de vous exposer dans un fleuve ? Pour courir de pareils 960
dangers, il faut avoir besoin d'avancement ou de fortune ! »

Ainsi l'homme le plus vaillant, le plus grand général du
siècle aurait compté pour rien l'honneur, le patriotisme et la
gloire ! Un misérable calcul d'intérêt eût été, selon lui, le
seul principe de la bravoure ! Il eût dit là un affreux mot, et 965
si j'en avais pris le sens pour l'enfermer dans quelque trait,
je mériterais le reproche qu'on fait gratuitement au mien.

Laissons donc les cerveaux fumeux louer ou blâmer au
hasard, sans se rendre compte de rien ; s'extasier sur une
sottise qui n'a pu jamais être dite, et proscrire un mot juste 970
et simple qui ne montre que du bon sens.

---

1. **Cénobite :** moine.
2. **Le Grand Condé :** Louis II de Condé (1621-1686).

Un autre reproche assez fort, mais dont je n'ai pu me laver, est d'avoir assigné pour retraite à la Comtesse un certain couvent d'Ursulines[1]. *Ursulines* ! a dit un seigneur, joignant les mains avec éclat. *Ursulines* ! a dit une dame en se renversant de surprise sur un jeune Anglais de sa loge. *Ursulines* ! ah ! Milord ! si vous entendiez le français !… – Je sens, je sens beaucoup, madame, dit le jeune homme en rougissant. – C'est qu'on n'a jamais mis au théâtre aucune femme aux *Ursulines* ! Abbé, parlez-nous donc ! L'abbé (toujours appuyée sur l'Anglais), comment trouvez-vous *Ursulines* ? – Fort indécent, répond l'abbé, sans cesser de lorgner Suzanne. Et tout le beau monde a répété : *Ursulines est fort indécent*. Pauvre auteur ! On te croit jugé, quand chacun songe à son affaire. En vain j'essayais d'établir que, dans l'événement de la scène, moins la Comtesse a dessein de se cloîtrer, plus elle doit le feindre et faire croire à son époux que sa retraite est bien choisie : ils ont proscrit mes *Ursulines* !

Dans le plus fort de la rumeur, moi, bon homme, j'avais été jusqu'à prier une des actrices qui font le charme de ma pièce de demander aux mécontents à quel autre couvent de filles ils estimaient qu'il fût décent que l'on fît entrer la Comtesse ? À moi, cela m'était égal ; je l'aurais mise où l'on aurait voulu : aux *Augustines*, aux *Célestines*, aux *Clairettes*, aux *Visitandines*, même aux *Petites Cordelières*, tant je tiens peu aux *Ursulines*. Mais on agit si durement !

Enfin, le bruit croissant toujours, pour arranger l'affaire avec douceur, j'ai laissé le mot *Ursulines* à la place où je l'avais mis : chacun alors content de soi, de tout l'esprit qu'il avait montré, s'est apaisé sur *Ursulines*, et l'on a parlé d'autre chose.

Je ne suis point, comme l'on voit, l'ennemi de mes ennemis. En disant bien du mal de moi, ils n'en ont point fait à ma pièce ; et s'ils sentaient seulement autant de joie à la

---

1. **Ursulines :** couvent de mauvaise réputation, qui passait pour être une maison de rendez-vous. Voir II, 19.

déchirer que j'eus de plaisir à la faire, il n'y aurait personne ᵢₒₒ₅ d'affligé. Le malheur est qu'ils ne rient point ; et ils ne rient point à ma pièce, parce qu'on ne rit point à la leur. Je connais plusieurs amateurs qui sont même beaucoup maigris depuis le succès du *Mariage* : excusons donc l'effet de leur colère.

À des moralités d'ensemble et de détail, répandues dans les ᵢₒₗₒ flots d'une inaltérable gaieté ; à un dialogue assez vif, dont la facilité nous cache le travail, si l'auteur a joint une intrigue aisément filée, où l'art se dérobe sous l'art, qui se noue et se dénoue sans cesse, à travers une foule de situations comiques, de tableaux piquants et variés qui soutiennent, sans la ᵢₒₗ₅ fatiguer, l'attention du public pendant les trois heures et demie que dure le même spectacle (essai que nul homme de lettres n'avait encore osé tenter), que restait-il à faire à de pauvres méchants que tout cela irrite ? attaquer, poursuivre l'auteur par des injures verbales, manuscrites, imprimées : ᵢₒ₂ₒ c'est ce qu'on a fait sans relâche. Ils ont même épuisé jusqu'à la calomnie pour tâcher de me perdre dans l'esprit de tout ce qui influe en France sur le repos d'un citoyen. Heureusement que mon ouvrage est sous les yeux de la nation, qui depuis dix grands mois le voit, le juge et l'apprécie. Le laisser jouer ᵢₒ₂₅ tant qu'il fera plaisir est la seule vengeance que je me sois permise. Je n'écris point ceci pour les lecteurs actuels : le récit d'un mal trop connu touche peu ; mais dans quatre-vingts ans il portera son fruit. Les auteurs de ce temps-là compareront leur sort au nôtre, et nos enfants sauront à quel prix on ᵢₒ₃ₒ pouvait amuser leurs pères.

Allons au fait ; ce n'est pas tout cela qui blesse. Le vrai motif qui se cache, et qui dans les replis du cœur produit tous les autres reproches, est renfermé dans ce quatrain :
Pourquoi ce Figaro qu'on va tant écouter ᵢₒ₃₅
Est-il avec fureur déchiré par les sots ?
Recevoir, prendre et demander :
Voilà le secret en trois mots [1].

---

1. **Recevoir [...] en trois mots :** réplique de Figaro, II, 2.

En effet, Figaro, parlant du métier de courtisan, le définit
1040 dans ces termes sévères. Je ne puis le nier, je l'ai dit. Mais
reviendrai-je sur ce point ? Si c'est un mal, le remède serait
pire : il faudrait poser méthodiquement ce que je n'ai fait
qu'indiquer ; revenir à montrer qu'il n'y a point de syno-
nyme, en français, entre *l'homme de la Cour, l'homme de*
1045 *Cour, et le courtisan par métier.*

Il faudrait répéter qu'*homme de la Cour* peint seulement
un noble état ; qu'il s'entend de l'homme de qualité, vivant
avec la noblesse et l'éclat que son rang lui impose ; que si
cet *homme de la Cour* aime le bien par goût, sans intérêt,
1050 si, loin de jamais nuire à personne, il se fait estimer de ses
maîtres, aimer de ses égaux et respecter des autres ; alors
cette acception reçoit un nouveau lustre ; et j'en connais
plus d'un que je nommerais avec plaisir, s'il en était question.

Il faudrait montrer qu'*homme de Cour,* en bon français,
1055 est moins l'énoncé d'un état que le résumé d'un caractère
adroit, liant, mais réservé ; pressant la main de tout le
monde en glissant chemin à travers ; menant finement
son intrigue avec l'air de toujours servir ; ne se faisant
point d'ennemis, mais donnant près d'un fossé, dans l'occa-
1060 sion, de l'épaule au meilleur ami, pour assurer sa chute et
le remplacer sur la crête ; laissant à part tout préjugé qui
pourrait ralentir sa marche ; souriant à ce qui lui déplaît, et
critiquant ce qu'il approuve, selon les hommes qui l'écoutent ;
dans les liaisons utiles de sa femme ou de sa maîtresse, ne
1065 voyant que ce qu'il doit voir, enfin...
Prenant tout, pour le faire court,
En véritable homme de Cour[1].

LA FONTAINE.

Cette acception n'est pas aussi défavorable que celle du
1070 *courtisan par métier,* et c'est l'homme dont parle Figaro.

---

1. **Homme de Cour :** vers de *La Joconde*, conte de La Fontaine (1621-
1695).

Mais quand j'étendrais la définition de ce dernier ; quand parcourant tous les possibles, je le montrerais avec son maintien équivoque, haut et bas à la fois ; rampant avec orgueil, ayant toutes les prétentions sans en justifier une ; se donnant l'air du *protégement*[1] pour se faire chef de parti ; dénigrant tous les concurrents qui balanceraient son crédit ; faisant un métier lucratif de ce qui ne devrait qu'honorer ; vendant ses maîtresses à son maître ; lui faisant payer ses plaisirs, etc., etc., et quatre pages d'etc., il faudrait toujours revenir au distique de Figaro :

Recevoir, prendre et demander,
Voilà le secret en trois mots.

Pour ceux-ci, je n'en connais point ; il y en eut, dit-on, sous Henri III, sous d'autres rois encore ; mais c'est l'affaire de l'historien, et, quant à moi, je suis d'avis que les vicieux du siècle en sont comme les saints ; qu'il faut cent ans pour les canoniser. Mais, puisque j'ai promis la critique de ma pièce, il faut enfin que je la donne.

En général son grand défaut est *que je ne l'ai point faite en observant le monde ; qu'elle ne peint rien de ce qui existe, et ne rappelle jamais l'image de la société où l'on vit ; que ses mœurs, basses et corrompues, n'ont pas même le mérite d'être vraies*[2]. Et c'est ce qu'on lisait dernièrement dans un beau discours imprimé, composé par un homme de bien, auquel il n'a manqué qu'un peu d'esprit pour être un écrivain médiocre. Mais médiocre ou non, moi qui ne fis jamais usage de cette allure oblique et torse avec laquelle un sbire[3], qui n'a pas l'air de vous regarder, vous donne du stylet[4] au flanc, je suis de l'avis de celui-ci. Je conviens

1075

1080

1085

1090

1095

---

1. **Protègement :** protection accordée par un chef à ses affidés (néologisme de Beaumarchais).
2. **[...] d'être vraies :** discours prononcé par le censeur Suard le 15 juin 1784.
3. **Sbire :** homme de main.
4. **Stylet :** couteau, poignard.

qu'à la vérité, la génération passée ressemblait beaucoup à
1100 ma pièce ; que la génération future lui ressemblera beaucoup aussi ; mais que pour la génération présente, elle ne
lui ressemble aucunement ; que je n'ai jamais rencontré ni
mari suborneur, ni seigneur libertin, ni courtisan avide, ni
juge ignorant ou passionné, ni avocat injuriant, ni gens
1105 médiocres avancés, ni traducteur bassement jaloux. Et que
si des âmes pures, qui ne s'y reconnaissent point du tout,
s'irritent contre ma pièce et la déchirent sans relâche, c'est
uniquement par respect pour leurs grands-pères et sensibilité pour leurs petits-enfants. J'espère, après cette décla-
1110 ration, qu'on me laissera bien tranquille : ET J'AI FINI.

Caractères et habillements de la pièce

LE COMTE ALMAVIVA doit être joué très noblement, mais avec grâce et liberté. La corruption du cœur ne doit rien ôter au bon ton de ses manières. Dans les mœurs de ce temps-là les Grands traitaient en badinant toute entreprise sur les femmes. Ce rôle est d'autant plus pénible à bien rendre, que le personnage est toujours sacrifié. Mais joué par un comédien excellent (M. Molé[1]), il a fait ressortir tous les rôles, et assuré le succès de la pièce.

Son vêtement des premier et second actes est un habit de chasse, avec des bottines à mi-jambe, de l'ancien costume espagnol. Du troisième acte jusqu'à la fin, un habit superbe de ce costume.

LA COMTESSE, agitée de deux sentiments contraires, ne doit montrer qu'une sensibilité réprimée, ou une colère très modérée ; rien surtout qui dégrade, aux yeux du spectateur, son caractère aimable et vertueux. Ce rôle, un des plus difficiles de la pièce, a fait infiniment d'honneur au grand talent de mademoiselle Saint-Val cadette[2].

Son vêtement des premier, second et quatrième actes est une lévite[3] commode et nul ornement sur la tête : elle est chez elle, et censée incommodée. Au cinquième acte, elle a l'habillement et la haute coiffure de Suzanne.

FIGARO. L'on ne peut trop recommander à l'acteur qui jouera ce rôle de bien se pénétrer de son esprit, comme l'a fait M. Dazincourt[4]. S'il y voyait autre chose que de la rai-

---

1. **Molé :** comédien de la Comédie-Française.
2. **Mademoiselle Saint-Val cadette :** comédienne de la Comédie-Française.
3. **Lévite :** longue robe d'intérieur.
4. **Dazincourt :** acteur de la Comédie-Française qui jouait les rôles de valet.

25 son assaisonnée de gaieté et de saillies, surtout s'il y mettait la moindre charge, il avilirait un rôle que le premier comique du théâtre, M. Préville[1] a jugé devoir honorer le talent de tout comédien qui saurait en saisir les nuances multipliées, et pourrait s'élever à son entière conception.

30 Son vêtement comme dans *Le Barbier de Séville*.

SUZANNE. Jeune personne adroite, spirituelle et rieuse, mais non de cette gaieté presque effrontée de nos soubrettes corruptrices ; son joli caractère est dessiné dans la préface, et c'est là que l'actrice qui n'a point vu mademoiselle 35 Contat[2] doit l'étudier pour le bien rendre.

Son vêtement des quatre premiers actes est un juste blanc à basquines[3], très élégant, la jupe de même, avec une toque appelée depuis par nos marchandes, « à la Suzanne ». Dans la fête du quatrième acte, le Comte lui 40 pose sur la tête une toque à long voile, à hautes plumes et à rubans blancs. Elle porte au cinquième acte la lévite de sa maîtresse, et nul ornement sur la tête.

MARCELINE est une femme d'esprit, née un peu vive, mais dont les fautes et l'expérience ont réformé le caractère. Si 45 l'actrice qui le joue s'élève avec une fierté bien placée à la hauteur très morale qui suit la reconnaissance du troisième acte, elle ajoutera beaucoup à l'intérêt de l'ouvrage.

Son vêtement est celui des duègnes[4] espagnoles, d'une couleur modeste, un bonnet noir sur la tête.

50 ANTONIO ne doit montrer qu'une demi-ivresse, qui se dissipe par degrés ; de sorte qu'au cinquième acte on n'en aperçoive presque plus.

---

1. **Préville :** doyen de la Comédie-Française depuis 1778.
2. **Mademoiselle Contat :** Louise Contat tenait les rôles d'ingénue à la Comédie-Française.
3. **Un juste [...] à basquines :** corsage très étroit, à petites basques ; c'est un vêtement de paysanne.
4. **Duègnes :** emploi de dame de compagnie, qui veille sur la conduite des jeunes filles dans la comédie espagnole.

Son vêtement est celui d'un paysan espagnol, où les manches pendent par-derrière ; un chapeau et des souliers blancs.

FANCHETTE est une enfant de douze ans, très naïve[1]. Son petit habit est un juste brun avec des ganses et des boutons d'argent, la jupe de couleur tranchante, et une toque noire à plumes sur la tête. Il sera celui des autres paysannes de la noce.

CHÉRUBIN. Ce rôle ne peut être joué, comme il l'a été, que par une jeune et très jolie femme[2] ; nous n'avons point à nos théâtres de très jeune homme assez formé pour en bien sentir les finesses. Timide à l'excès devant la Comtesse, ailleurs un charmant polisson ; un désir inquiet et vague est le fond de son caractère. Il s'élance à la puberté, mais sans projet, sans connaissances, et tout entier à chaque événement ; enfin il est ce que toute mère, au fond du cœur, voudrait peut-être que fût son fils, quoiqu'elle dût beaucoup en souffrir.

Son riche vêtement, aux premier et second actes, est celui d'un page de Cour espagnol, blanc et brodé d'argent ; le léger manteau bleu sur l'épaule, et un chapeau chargé de plumes. Au quatrième acte, il a le corset, la jupe et la toque des jeunes paysannes qui l'amènent. Au cinquième acte, un habit uniforme d'officier, une cocarde et une épée.

BARTHOLO. Le caractère et l'habit comme dans *Le Barbier de Séville*, il n'est ici qu'un rôle secondaire[3].

BAZILE[4]. Caractère et vêtement comme dans *Le Barbier de Séville*, il n'est aussi qu'un rôle secondaire.

---

1. **Très naïve :** correspondant donc à l'emploi d'ingénue.
2. **Jeune et très jolie femme :** l'emploi d'« ingénu » n'existe pas au théâtre et Chérubin est trop jeune pour être joué par un jeune premier. C'est pourquoi le rôle était tenu par une femme.
3. **Rôle secondaire :** Bartholo correspond à l'emploi de « barbon », mais son rôle est minime par rapport à celui qu'il tient dans *Le Barbier de Séville*.
4. **Bazile :** personnage correspondant à l'emploi de « traître », lui aussi très mineur par rapport au rôle du *Barbier*.

Caractères et habillements de la pièce

80 BRID'OISON doit avoir cette bonne et franche assurance des bêtes qui n'ont plus leur timidité. Son bégaiement n'est qu'une grâce de plus, qui doit être à peine sentie ; et l'acteur se tromperait lourdement et jouerait à contresens s'il y cherchait le plaisant de son rôle. Il est tout entier
85 dans l'opposition de la gravité de son état au ridicule du caractère ; et moins l'acteur le chargera, plus il montrera de vrai talent.

Son habit est une robe de juge espagnol moins ample que celle de nos procureurs, presque une soutane ; une
90 grosse perruque, une gonille[1] ou rabat espagnol au cou, et une longue baguette blanche à la main.

DOUBLE-MAIN. Vêtu comme le juge ; mais la baguette blanche plus courte.

L'HUISSIER ou ALGUAZIL[2]. Habit, manteau, épée de
95 Crispin[3], mais portée à son côté sans ceinture de cuir. Point de bottines, une chaussure noire, une perruque blanche naissante et longue, à mille boucles, une courte baguette blanche.

GRIPPE-SOLEIL. Habit de paysan, les manches pendantes,
100 veste de couleur tranchée, chapeau blanc.

UNE JEUNE BERGÈRE. Son vêtement comme celui de Fanchette.

PÉDRILLE. En veste, gilet, ceinture, fouet, et bottes de poste, une résille sur la tête, chapeau de courrier.

105 PERSONNAGES MUETS, les uns en habits de juges, d'autres en habits de paysans, les autres en habits de livrée.

---

1. **Gonille :** espèce de col à l'espagnole.
2. **Alguazil :** officier de police.
3. **Crispin :** valet de la Comédie-Italienne, qui portait une grande épée.

PERSONNAGES

Le Comte Almaviva	*grand corrégidor*[1] *d'Andalousie.*
La Comtesse	*sa femme.*
Figaro	*valet de chambre du Comte et concierge du château.*
Suzanne	*première camariste*[2] *de la Comtesse et fiancée de Figaro.*
Marceline	*femme de charge*[3]*.*
Antonio	*jardinier du château, oncle de Suzanne et père de Fanchette.*
Fanchette	*fille d'Antonio.*
Chérubin	*premier page du Comte.*
Bartholo	*médecin de Séville.*
Bazille	*maître de clavecin de la Comtesse.*
Don Gusman Brid'oison	*lieutenant du siège*[4]*.*
Double-Main	*greffier, secrétaire de don Gusman.*
Un huissier-audiencier.	
Grippe-Soleil	*jeune patoureau*[5]*.*
Une jeune bergère.	
Pédrille	*piqueur*[6] *du Comte.*

---

1. **Corrégidor :** en Espagne, premier officier de justice d'une ville ou d'une province.
2. **Camariste :** femme de chambre.
3. **Femme de charge :** sous-intendante, chargée de la vaisselle, du linge, etc.
4. **Lieutenant du siège :** président du tribunal local.
5. **Patoureau :** pastoureau, jeune berger.
6. **Piqueur :** valet à cheval chargé de suivre la bête ou de régler la course des chiens pendant une chasse à courre.

Personnages muets

Troupe de valets.
Troupe de paysannes.
Troupe de paysans.

La scène est au château d'Aguas Frescas[1], à trois lieues de Séville[2].

Placement des acteurs

Pour faciliter les jeux du théâtre, on a eu l'attention d'écrire au commencement de chaque scène le nom des personnages dans l'ordre où le spectateur les voit. S'ils font quelque mouvement grave dans la scène, il est désigné par un nouvel ordre de noms, écrit en marge à l'instant qu'il arrive. Il est important de conserver les bonnes positions théâtrales ; le relâchement dans la tradition donnée par les premiers acteurs en produit bientôt un total dans le jeu des pièces, qui finit par assimiler les troupes négligentes aux plus faibles comédiens de société.

Résumé de la pièce

La plus badine des intrigues. Un grand seigneur espagnol, amoureux d'une jeune fille qu'il veut séduire, et les efforts que cette fiancée, celui qu'elle doit épouser et la femme du seigneur réunissent pour faire échouer dans son dessein un maître absolu que son rang, sa fortune et sa prodigalité rendent tout-puissant pour l'accomplir. Voilà tout, rien de plus. La pièce est sous vos yeux.

---

1. **Aguas Frescas :** signifie « eaux fraîches » en espagnol.
2. **Séville :** ville d'Andalousie, dans le sud de l'Espagne.

ACTE I

Scène 1 FIGARO, SUZANNE

Le théâtre représente une chambre à demi démeublée ; un grand fauteuil de malade est au milieu. Figaro, avec une toise[1], mesure le plancher. Suzanne attache à sa tête, devant une glace, le petit bouquet de fleurs d'orange, appelé chapeau de la mariée.

FIGARO. Dix-neuf pieds sur vingt-six[2].

SUZANNE. Tiens, Figaro, voilà mon petit chapeau : le trouves-tu mieux ainsi ?

FIGARO *lui prend les mains.* Sans comparaison, ma charmante. Oh ! que ce joli bouquet virginal, élevé sur la tête d'une belle fille, est doux, le matin des noces, à l'œil amoureux d'un époux !… 5

SUZANNE *se retire.* Que mesures-tu donc là, mon fils[3] ?

FIGARO. Je regarde, ma petite Suzanne, si ce beau lit que Monseigneur nous donne aura bonne grâce ici. 10

SUZANNE. Dans cette chambre ?

FIGARO. Il nous la cède.

SUZANNE. Et moi, je n'en veux point.

FIGARO. Pourquoi ?

SUZANNE. Je n'en veux point. 15

FIGARO. Mais encore ?

SUZANNE. Elle me déplaît.

FIGARO. On dit une raison.

---

1. **Toise :** règle servant à mesurer.
2. **Dix-neuf pieds sur vingt-six :** un pied mesurant environ un tiers de mètre, la pièce fait 6 × 8 m environ.
3. **Mon fils :** façon familière de s'adresser à quelqu'un que l'on aime bien.

SUZANNE. Si je n'en veux pas dire ?

20 **FIGARO.** Oh ! quand elles sont sûres de nous !

SUZANNE. Prouver que j'ai raison serait accorder que je puis avoir tort. Es-tu mon serviteur, ou non ?

FIGARO. Tu prends de l'humeur contre la chambre du château la plus commode, et qui tient le milieu des deux 25 appartements. La nuit, si Madame est incommodée, elle sonnera de son côté ; zeste ! en deux pas, tu es chez elle. Monseigneur veut-il quelque chose : il n'a qu'à tinter du sien ; crac ! en trois sauts me voilà rendu.

SUZANNE. Fort bien ! mais, quand il aura *tinté* le matin pour 30 te donner quelque bonne et longue commission, zeste, en deux pas il est à ma porte, et crac, en trois sauts…

FIGARO. Qu'entendez-vous par ces paroles ?

SUZANNE. Il faudrait m'écouter tranquillement.

FIGARO. Eh qu'est-ce qu'il y a ? bon Dieu !

35 **SUZANNE.** Il y a, mon ami, que, las de courtiser les beautés des environs, monsieur le comte Almaviva veut rentrer au château, mais non pas chez sa femme ; c'est sur la tienne, entends-tu, qu'il a jeté ses vues, auxquelles il espère que ce logement ne nuira pas. Et c'est ce que le loyal Bazile, hon-40 nête agent de ses plaisirs, et mon noble maître à chanter, me répète chaque jour, en me donnant leçon.

FIGARO. Bazile ! Ô mon mignon, si jamais volée de bois vert, appliquée sur une échine, a dûment redressé la moelle épinière à quelqu'un…

45 **SUZANNE.** Tu croyais, bon garçon ! que cette dot qu'on me donne était pour les beaux yeux de ton mérite ?

FIGARO. J'avais assez fait pour l'espérer[1].

---

1. **J'en avais assez fait pour l'espérer :** allusion à l'aide que Figaro a apportée au comte dans la précédente pièce de Beaumarchais, *Le Barbier de Séville* (1775).

SUZANNE. Que les gens d'esprit sont bêtes !

FIGARO. On le dit.

SUZANNE. Mais c'est qu'on ne veut pas le croire.   50

FIGARO. On a tort.

SUZANNE. Apprends qu'il la destine à obtenir de moi secrètement, certain quart d'heure, seul à seule, qu'un ancien droit du seigneur[1]... Tu sais s'il était triste[2] !

FIGARO. Je le sais tellement que, si monsieur le Comte, en   55
se mariant, n'eût pas aboli ce droit honteux, jamais je ne t'eusse épousée dans ses domaines.

SUZANNE. Eh bien ! s'il l'a détruit, il s'en repent ; et c'est de ta fiancée qu'il veut le racheter en secret aujourd'hui.

FIGARO, *se frottant la tête*. Ma tête s'amollit de surprise, et   60
mon front fertilisé...

SUZANNE. Ne le frotte donc pas !

FIGARO. Quel danger ?

SUZANNE, *riant.* S'il y venait un petit bouton, des gens superstitieux...   65

FIGARO. Tu ris, friponne ! Ah ! s'il y avait moyen d'attraper ce grand trompeur, de le faire donner dans un bon piège, et d'empocher son or !

SUZANNE. De l'intrigue et de l'argent, te voilà dans ta sphère.   70

FIGARO. Ce n'est pas la honte qui me retient.

SUZANNE. La crainte ?

FIGARO. Ce n'est rien d'entreprendre une chose dangereuse, mais d'échapper au péril en la menant à bien : car

---

1. **Droit du seigneur :** droit de cuissage qui accordait au seigneur la possibilité d'obtenir les faveurs de toute jeune mariée avant le mari lui-même.
2. **Triste :** sinistre, affligeant.

₇₅ d'entrer chez quelqu'un la nuit, de lui souffler sa femme, et d'y recevoir cent coups de fouet pour la peine, il n'est rien plus aisé ; mille sots coquins l'on fait. Mais... *(On sonne de l'intérieur.)*

SUZANNE. Voilà Madame éveillée ; elle m'a bien recom-
₈₀ mandé d'être la première à lui parler le matin de mes noces.

FIGARO. Y a-t-il encore quelque chose là-dessous ?

SUZANNE. Le berger dit que cela porte bonheur aux épouses délaissées. Adieu, mon petit Fi, Fi, Figaro ; rêve à notre affaire.

₈₅ **FIGARO.** Pour m'ouvrir l'esprit, donne un petit baiser.

SUZANNE. À mon amant[1] aujourd'hui ? Je t'en souhaite ! Et qu'en dirait demain mon mari ? *(Figaro l'embrasse.)*

SUZANNE. Hé bien ! hé bien !

FIGARO. C'est que tu n'as pas d'idée de mon amour.

₉₀ **SUZANNE,** *se défripant.* Quand cesserez-vous, importun, de m'en parler du matin au soir ?

FIGARO, *mystérieusement.* Quand je pourrai te le prouver du soir jusqu'au matin. *(On sonne une seconde fois.)*

SUZANNE, *de loin, les doigts unis sur sa bouche.* Voilà votre
₉₅ baiser, monsieur ; je n'ai plus rien à vous.

FIGARO *court après elle.* Oh ! mais ce n'est pas ainsi que vous l'avez reçu.

---

1. **Amant :** personne aimée.

Scène 2 FIGARO, *seul*

La charmante fille ! toujours riante, verdissante, pleine de
gaieté, d'esprit, d'amour et de délices ! mais sage !... (*Il marche
vivement en se frottant les mains.*) Ah, Monseigneur ! mon
cher Monseigneur ! vous voulez m'en donner... à garder[1] !
Je cherchais aussi pourquoi m'ayant nommé concierge, il   5
m'emmène à son ambassade, et m'établit courrier de dépêches[2].
J'entends, monsieur le Comte ; trois promotions à la fois :
vous, compagnon ministre ; moi, casse-cou politique, et
Suzon, dame du lieu, l'ambassadrice de poche ; et puis,
fouette courrier ! Pendant que je galoperais d'un côté, vous   10
feriez faire de l'autre à ma belle un joli chemin ! Me crottant,
m'échinant pour la gloire de votre famille ; vous, daignant
concourir à l'accroissement de la mienne ! Quelle douce
réciprocité ! Mais, Monseigneur, il y a de l'abus. Faire à
Londres, en même temps, les affaires de votre maître et celles   15
de votre valet ! représenter, à la fois le roi et moi dans une
cour étrangère, c'est trop de moitié, c'est trop. – Pour toi,
Bazile ! fripon mon cadet ! je veux t'apprendre à clocher
devant les boiteux[3] ; je veux... Non, dissimulons avec eux
pour les enferrer l'un par l'autre[4]. Attention sur la journée,   20
Monsieur Figaro ! D'abord avancer l'heure de votre petite
fête, pour épouser plus sûrement ; écarter une Marceline,
qui de vous est friande en diable ; empocher l'or et les présents ; donner le change[5] aux petites passions de monsieur le
Comte ; étriller rondement monsieur du Bazile et...   25

---

1. **M'en donner [...] à garder :** me berner, me tromper.
2. **Courrier de dépêches :** porteur de lettres officielles.
3. **Clocher devant les boiteux :** jouer au plus malin.
4. **Les enferrer l'un par l'autre :** qu'ils se transpercent l'un l'autre.
5. **Donner le change :** détourner (vocabulaire de la chasse).

Clefs d'analyse

Acte I, scènes 1 et 2.

Compréhension

L'information

- Observer le personnage de Suzanne en servante attachée à sa maîtresse, amoureuse de Figaro, joueuse mais lucide (I, 1).
- Observer le personnage de Figaro en valet respectueux de ses maîtres, amoureux et impulsif (I, 1), mais aussi pragmatique et plein d'humour (I, 1 et 2).
- Relever les informations sur le personnage du comte, grand seigneur libertin, sans scrupules vis-à-vis de Figaro (I, 1 et 2).
- Relever les informations sur la situation (I, 1 et 2).
- Observer les informations données sur le décor et les accessoires dans les didascalies et le dialogue de la scène 1.

Une parole dynamique

- Relever les procédés de la dynamique de l'échange entre Figaro et Suzanne (I, 1) et du monologue de Figaro (I, 2).

Réflexion

La gaieté et la gravité

- Analyser le mélange de gaieté et de gravité (I, 1).

La dénonciation des abus

- Analyser le regard ironique et accusateur porté par Figaro sur le comte, et l'image qu'il donne de la noblesse (I, 1 et 2).

À retenir :

Ces deux premières scènes proposent un début d'exposition respectueux des règles théâtrales, en livrant au public des informations sur le cadre, quelques-uns des personnages principaux, l'enjeu de la pièce et le genre comique auquel elle se rattache. Elles suscitent aussi une attente et des questions : Suzanne et Figaro réussiront-ils à se marier en échappant aux funestes visées du Comte ? Cette journée finira-t-elle dans la gaieté ou la tristesse ? L'ordre amoureux et social sera-t-il bouleversé ?

Scène 3 Marceline, Bartholo, Figaro

FIGARO *s'interrompt.* Héééé, voilà le gros docteur : la fête sera complète. Hé ! bonjour, cher docteur de mon cœur ! Est-ce ma noce avec Suzon qui vous attire au château ?

BARTHOLO, *avec dédain.* Ah ! mon cher monsieur, point du tout !   5

FIGARO. Cela serait bien généreux !

BARTHOLO. Certainement, et par trop sot.

FIGARO. Moi qui eus le malheur de troubler la vôtre[1] !

BARTHOLO. Avez-vous autre chose à nous dire ?

FIGARO. On n'aura pas pris soin de votre mule[2] !   10

BARTHOLO, *en colère.* Bavard enragé ! laissez-nous !

FIGARO. Vous vous fâchez, docteur ? les gens de votre état sont bien durs ! Pas plus de pitié des pauvres animaux... en vérité... que si c'était des hommes ! Adieu, Marceline : avez-vous toujours envie de plaider contre moi ?   15

    « Pour n'aimer pas, faut-il qu'on se haïsse[3] ? »
Je m'en rapporte au docteur.

BARTHOLO. Qu'est-ce que c'est ?

FIGARO. Elle vous le contera de reste. *(Il sort.)*

---

1. **Troubler la vôtre :** votre noce. Dans *Le Barbier de Séville*, Figaro a empêché Bartholo d'épouser Rosine, malgré ses précautions.
2. **On n'aura pas pris soin de votre mule :** allusion au *Barbier de Séville*, où Figaro a appliqué un cataplasme sur les yeux de la mule aveugle de Bartholo.
3. **Pour n'aimer pas, faut-il qu'on se haïsse ? :** citation d'une comédie alors très à la mode de Voltaire, *Nanine ou Le Préjugé vaincu* (III, 6).

Scène 4 <small>MARCELINE, BARTHOLO</small>

BARTHOLO *le regarde aller.* Ce drôle est toujours le même ! Et à moins qu'on ne l'écorche vif, je prédis qu'il mourra dans la peau du plus fier insolent...

MARCELINE *le retourne.* Enfin, vous voilà donc, éternel
5 docteur ! toujours si grave et compassé, qu'on pourrait mourir en attendant vos secours, comme on s'est marié jadis, malgré vos précautions.

BARTHOLO. Toujours amère et provocante ! Hé bien, qui rend donc ma présence au château si nécessaire ?
10 Monsieur le Comte a-t-il eu quelque accident ?

MARCELINE. Non, docteur.

BARTHOLO. La Rosine, sa trompeuse Comtesse, est-elle incommodée, Dieu merci ?

MARCELINE. Elle languit.

15 **BARTHOLO.** Et de quoi ?

MARCELINE. Son mari la néglige.

BARTHOLO, *avec joie.* Ah ! le digne époux qui me venge !

MARCELINE. On ne sait comment définir le Comte ; il est jaloux et libertin.

20 **BARTHOLO.** Libertin par ennui, jaloux par vanité ; cela va sans dire.

MARCELINE. Aujourd'hui, par exemple, il marie notre Suzanne à son Figaro, qu'il comble en faveur de cette union...

BARTHOLO. Que Son Excellence a rendue nécessaire !

25 **MARCELINE.** Pas tout à fait ; mais dont Son Excellence voudrait égayer en secret l'événement avec l'épousée...

BARTHOLO. De monsieur Figaro ? C'est un marché qu'on peut conclure avec lui.

MARCELINE. Bazile assure que non.

BARTHOLO. Cet autre maraud loge ici ? C'est une caverne[1] ! 30
Hé ! qu'y fait-il ?

MARCELINE. Tout le mal dont il est capable. Mais le pis
que j'y trouve est cette ennuyeuse passion qu'il a pour
moi depuis si longtemps.

BARTHOLO. Je me serais débarrassé vingt fois de sa poursuite. 35

MARCELINE. De quelle manière ?

BARTHOLO. En l'épousant.

MARCELINE. Railleur fade et cruel, que ne vous débarrassez-
vous de la mienne à ce prix ? Ne le devez-vous pas ? Où
est le souvenir de vos engagements ? Qu'est devenu celui 40
de notre petit Emmanuel, ce fruit d'un amour oublié, qui
devait nous conduire à des noces ?

BARTHOLO *ôtant son chapeau.* Est-ce pour écouter ces
sornettes que vous m'avez fait venir de Séville ? Et cet
accès d'hymen qui vous reprend si vif… 45

MARCELINE. Eh bien ! n'en parlons plus. Mais, si rien n'a
pu vous porter à la justice de m'épouser, aidez-moi donc
du moins à en épouser un autre.

BARTHOLO. Ah ! volontiers : parlons. Mais, quel mortel
abandonné du ciel et des femmes ?… 50

MARCELINE. Eh ! qui pourrait-ce être, docteur, sinon le
beau, le gai, l'aimable Figaro ?

BARTHOLO. Ce fripon-là ?

MARCELINE. Jamais fâché, toujours en belle humeur ;
donnant le présent à la joie, et s'inquiétant de l'avenir tout 55
aussi peu que du passé ; sémillant, généreux ! généreux…

BARTHOLO. Comme un voleur.

MARCELINE. Comme un seigneur. Charmant enfin : mais
c'est le plus grand monstre !

---

1. **Une caverne :** un repaire de brigands.

60 **BARTHOLO.** Et sa Suzanne ?

MARCELINE. Elle ne l'aurait pas, la rusée, si vous vouliez m'aider, mon petit docteur, à faire valoir un engagement que j'ai de lui.

BARTHOLO. Le jour de son mariage ?

65 **MARCELINE.** On en rompt de plus avancés : et, si je ne craignais d'éventer un petit secret des femmes !...

BARTHOLO. En ont-elles pour le médecin du corps ?

MARCELINE. Ah ! vous savez que je n'en ai pas pour vous. Mon sexe est ardent, mais timide : un certain
70 charme a beau nous attirer vers le plaisir, la femme la plus aventurée sent en elle une voix qui lui dit : « Sois belle, si tu peux, sage si tu veux ; mais sois considérée, il le faut. » Or, puisqu'il faut être au moins considérée, que toute femme en sent l'importance, effrayons d'abord la Suzanne
75 sur la divulgation des offres qu'on lui fait.

BARTHOLO. Où cela mènera-t-il ?

MARCELINE. Que, la honte la prenant au collet, elle continuera de refuser le Comte, lequel, pour se venger, appuiera l'opposition que j'ai faite à son mariage : alors le
80 mien devient certain.

BARTHOLO. Elle a raison. Parbleu ! c'est un bon tour que de faire épouser ma vieille gouvernante au coquin qui fit enlever ma jeune maîtresse.

MARCELINE, *vite.* Et qui croit ajouter à ses plaisirs en
85 trompant mes espérances.

BARTHOLO, *vite.* Et qui m'a volé dans le temps cent écus que j'ai sur le cœur[1].

MARCELINE. Ah ! quelle volupté !...

BARTHOLO. De punir un scélérat...

90 **MARCELINE.** De l'épouser, docteur, de l'épouser !

---

1. **Et qui m'a volé... sur le cœur :** allusion au *Barbier de Séville*, IV, 8.

Scène 5 MARCELINE, BARTHOLO,
SUZANNE

SUZANNE, *un bonnet de femme avec un large ruban dans la main, une robe de femme sur le bras.* L'épouser, l'épouser ! Qui donc ? Mon Figaro ?

MARCELINE, *aigrement.* Pourquoi non ? Vous l'épousez bien !

BARTHOLO, *riant.* Le bon argument de femme en colère ! Nous parlions, belle Suzon, du bonheur qu'il aura de vous posséder.

MARCELINE. Sans compter Monseigneur, dont on ne parle pas.

SUZANNE, *une révérence.* Votre servante, madame ; il y a toujours quelque chose d'amer dans vos propos.

MARCELINE, *une révérence.* Bien la vôtre, madame ; où donc est l'amertume ? N'est-il pas juste qu'un libéral seigneur partage un peu la joie qu'il procure à ses gens ?

SUZANNE. Qu'il procure ?

MARCELINE. Oui, Madame.

SUZANNE. Heureusement, la jalousie de madame est aussi connue que ses droits sur Figaro sont légers.

MARCELINE. On eût pu les rendre plus forts en les cimentant à la façon de madame.

SUZANNE. Oh ! cette façon, madame, est celle des dames savantes.

MARCELINE. Et l'enfant ne l'est pas du tout ! Innocente comme un vieux juge !

BARTHOLO, *attirant Marceline.* Adieu, jolie fiancée de notre Figaro.

MARCELINE, *une révérence.* L'accordée[1] secrète de Monseigneur.

30 **SUZANNE,** *une révérence.* Qui vous estime beaucoup, madame.

MARCELINE, *une révérence.* Me fera-t-elle aussi l'honneur de me chérir un peu, madame ?

SUZANNE, *une révérence.* À cet égard, madame n'a rien à 35 désirer.

MARCELINE, *une révérence.* C'est une si jolie personne que madame !

SUZANNE, *une révérence.* Eh mais ! assez pour désoler madame.

40 **MARCELINE,** *une révérence.* Surtout bien respectable !

SUZANNE, *une révérence.* C'est aux duègnes à l'être.

MARCELINE, *outrée.* Aux duègnes ! aux duègnes !

BARTHOLO, *l'arrêtant.* Marceline !

MARCELINE. Allons, docteur, car je n'y tiendrais pas. 45 Bonjour, Madame.
(Une révérence.)

Scène 6 Suzanne, *seule*

Allez, Madame ! allez, pédante ! je crains aussi peu vos efforts que je méprise vos outrages. – Voyez cette vieille sibylle[2] ! parce qu'elle a fait quelques études et tourmenté la jeunesse de Madame, elle veut tout dominer au château ! *(Elle jette la robe qu'elle tient sur une chaise.)* Je ne 5 sais plus ce que je venais prendre.

---

1. **Accordée :** fiancée.
2. **Vieille sibylle :** prophétesse de l'Antiquité, femme prétendant connaître l'avenir.

Scène 7 Suzanne, Chérubin

CHÉRUBIN, *accourant.* Ah ! Suzon, depuis deux heures j'épie le moment de te trouver seule. Hélas ! tu te maries, et moi je vais partir.

SUZANNE. Comment mon mariage éloigne-t-il du château le premier page de Monseigneur ?   5

CHÉRUBIN, *piteusement.* Suzanne, il me renvoie.

SUZANNE *le contrefait.* Chérubin, quelque sottise !

CHÉRUBIN. Il m'a trouvé hier au soir chez ta cousine Fanchette, à qui je faisais répéter son petit rôle d'innocente, pour la fête de ce soir : il s'est mis dans une fureur en me   10
voyant ! – « Sortez, m'a-t-il dit, petit... » Je n'ose pas prononcer devant une femme le gros mot qu'il a dit : « Sortez, et demain vous ne coucherez pas au château. » Si Madame, si ma belle marraine ne parvient pas à l'apaiser, c'est fait, Suzon, je suis à jamais privé du bonheur de te voir.   15

SUZANNE. De me voir ! moi ? c'est mon tour ! Ce n'est donc plus pour ma maîtresse que vous soupirez en secret ?

CHÉRUBIN. Ah ! Suzon, qu'elle est noble et belle ! mais qu'elle est imposante !

SUZANNE. C'est-à-dire que je ne le suis pas, et qu'on peut   20
oser avec moi.

CHÉRUBIN. Tu sais trop bien, méchante, que je n'ose pas oser. Mais que tu es heureuse ! à tous moments la voir, lui parler, l'habiller le matin et la déshabiller le soir, épingle à épingle !... Ah ! Suzon ! je donnerais... Qu'est-ce que tu   25
tiens donc là ?

SUZANNE, *raillant.* Hélas ! l'heureux bonnet et le fortuné ruban qui renferment la nuit les cheveux de cette belle marraine...

30 **CHÉRUBIN,** *vivement.* Son ruban de nuit ! donne-le-moi, mon cœur.

SUZANNE, *le retirant.* Eh ! que non pas ! – *Son cœur !* Comme il est familier donc ! Si ce n'était pas un morveux sans conséquence... *(Chérubin arrache le ruban.)* Ah ! le
15 ruban !

CHÉRUBIN *tourne autour du grand fauteuil.* Tu diras qu'il est égaré, gâté[1], qu'il est perdu. Tu diras tout ce que tu voudras.

SUZANNE *tourne après lui.* Oh ! dans trois ou quatre ans,
20 je prédis que vous serez le plus grand petit vaurien !... Rendez-vous le ruban ? *(Elle veut le reprendre.)*

CHÉRUBIN *tire une romance de sa poche.* Laisse, ah ! laisse-le-moi, Suzon ; je te donnerai ma romance ; et pendant que le souvenir de ta belle maîtresse attristera tous
25 mes moments, le tien y versera le seul rayon de joie qui puisse encore amuser mon cœur.

SUZANNE *arrache la romance.* Amuser votre cœur, petit scélérat ! vous croyez parler à votre Fanchette. On vous surprend chez elle, et vous soupirez pour Madame ; et
30 vous m'en contez[2] à moi, par-dessus le marché !

CHÉRUBIN, *exalté.* Cela est vrai, d'honneur ! Je ne sais plus ce que je suis ; mais depuis quelque temps je sens ma poitrine agitée ; mon cœur palpite au seul aspect d'une femme ; les mots « amour » et « volupté » le font tressaillir
35 et le troublent. Enfin le besoin de dire à quelqu'un « Je vous aime » est devenu pour moi si pressant, que je le dis tout seul, en courant dans le parc, à ta maîtresse, à toi, aux arbres, aux nuages, au vent qui les emporte avec mes paroles perdues. – Hier je rencontrai Marceline...

40 **SUZANNE,** *riant.* Ah ! ah ! ah ! ah !

---

1. **Gâté :** abîmé.
2. **Vous m'en contez :** vous me courtisez, ou vous me dites des sornettes.

CHÉRUBIN. Pourquoi non ? elle est femme ! elle est fille[1] ! Une fille ! une femme ! ah ! que ces noms sont doux ! qu'ils sont intéressants[2] !

SUZANNE. Il devient fou !

CHÉRUBIN. Fanchette est douce ; elle m'écoute au moins : tu ne l'es pas, toi !   45

SUZANNE. C'est bien dommage ; écoutez donc monsieur ! *(Elle veut arracher le ruban.)*

CHÉRUBIN *tourne en fuyant.* Ah ! ouiche ! on ne l'aura, vois-tu, qu'avec ma vie. Mais, si tu n'es pas contente du prix, j'y joindrai mille baisers. (*Il lui donne chasse à son tour.)*   50

SUZANNE *tourne en fuyant.* Mille soufflets, si vous approchez. Je vais m'en plaindre à ma maîtresse ; et, loin de supplier pour vous, je dirai moi-même à Monseigneur : « C'est bien fait, Monseigneur ; chassez-nous ce petit voleur ; renvoyez à ses parents un petit mauvais sujet qui se donne les airs d'aimer Madame, et qui veut toujours m'embrasser par contrecoup. »   55

CHÉRUBIN *voit le Comte entrer ; il se jette derrière le fauteuil avec effroi.* Je suis perdu !   60

SUZANNE. Quelle frayeur ?...

---

1. **Fille :** célibataire.
2. **Intéressants :** attirants, qui suscitent le désir.

Scène 8 SUZANNE, LE COMTE, CHÉRUBIN, *caché*

SUZANNE *aperçoit le Comte.* Ah !... *(Elle s'approche du fauteuil pour masquer Chérubin.)*

LE COMTE *s'avance.* Tu es émue, Suzon ! tu parlais seule, et ton petit cœur paraît dans une agitation... bien pardon-
5 nable, au reste, un jour comme celui-ci.

SUZANNE, *troublée.* Monseigneur, que me voulez-vous ? Si l'on vous trouvait avec moi...

LE COMTE. Je serais désolé qu'on m'y surprît ; mais tu sais tout l'intérêt que je prends à toi. Bazile ne t'a pas
10 laissé ignorer mon amour. Je n'ai rien qu'un instant pour t'expliquer mes vues[1] ; écoute. *(Il s'assied dans le fauteuil.)*

SUZANNE, *vivement.* Je n'écoute rien.

LE COMTE *lui prend la main.* Un seul mot. Tu sais que le roi m'a nommé son ambassadeur à Londres. J'emmène
15 avec moi Figaro ; je lui donne un excellent poste ; et, comme le devoir d'une femme est de suivre son mari...

SUZANNE. Ah ! si j'osais parler !

LE COMTE *la rapproche de lui.* Parle, parle, ma chère ; use aujourd'hui d'un droit que tu prends sur moi pour la vie.

20 **SUZANNE,** *effrayée.* Je n'en veux point, Monseigneur, je n'en veux point. Quittez-moi, je vous prie.

LE COMTE. Mais dis auparavant.

SUZANNE, *en colère.* Je ne sais plus ce que je disais.

LE COMTE. Sur le devoir des femmes.

25 **SUZANNE.** Eh bien ! lorsque Monseigneur enleva la sienne de chez le docteur, et qu'il l'épousa par amour ; lorsqu'il abolit pour elle un certain affreux droit du seigneur...

---

1. **Vues** : intentions.

LE COMTE, *gaiement.* Qui faisait bien de la peine aux filles ! Ah ! Suzette ! ce droit charmant ! Si tu venais en jaser sur la brune[1] au jardin, je mettrais un tel prix à cette légère faveur… 30

BAZILE *parle en dehors.* Il n'est pas chez lui, Monseigneur.

LE COMTE *se lève.* Quelle est cette voix ?

SUZANNE. Que je suis malheureuse !

LE COMTE. Sors, pour qu'on n'entre pas. 35

SUZANNE, *troublée.* Que je vous laisse ici ?

BAZILE *crie en dehors.* Monseigneur était chez Madame, il en est sorti ; je vais voir.

LE COMTE. Et pas un lieu pour se cacher ! Ah ! derrière ce fauteuil… assez mal ; mais renvoie-le bien vite. 40 *(Suzanne lui barre le chemin, il la pousse doucement, elle recule, et se met ainsi entre lui et le petit page ; mais, pendant que le Comte s'abaisse et prend sa place, Chérubin tourne et se jette effrayé sur le fauteuil à genoux et s'y blottit. Suzanne prend la robe qu'elle apportait, en couvre le page,* 45 *et se met devant le fauteuil.)*

---

1. **Sur la brune :** au crépuscule.

Scène 9 Le Comte et Chérubin, *cachés*, Suzanne, Bazile

BAZILE. N'auriez-vous pas vu Monseigneur, mademoiselle ?

SUZANNE, *brusquement.* Hé ! pourquoi l'aurais-je vu ? Laissez-moi.

BAZILE *s'approche.* Si vous étiez plus raisonnable, il n'y
5 aurait rien d'étonnant à ma question. C'est Figaro qui le cherche.

SUZANNE. Il cherche donc l'homme qui lui veut le plus de mal après vous ?

LE COMTE, *à part.* Voyons un peu comme il me sert.

10 **BAZILE.** Désirer du bien à une femme, est-ce vouloir du mal à son mari ?

SUZANNE. Non, dans vos affreux principes, agent de corruption !

BAZILE. Que vous demande-t-on ici que vous n'alliez pro-
15 diguer à un autre ? Grâce à la douce cérémonie, ce qu'on vous défendait hier, on vous le prescrira demain.

SUZANNE. Indigne !

BAZILE. De toutes les choses sérieuses le mariage étant la plus bouffonne, j'avais pensé...

20 **SUZANNE,** *outrée.* Des horreurs ! Qui vous permet d'entrer ici ?

BAZILE. Là, là, mauvaise ! Dieu vous apaise ! Il n'en sera que ce que vous voulez : mais ne croyez pas non plus que je regarde monsieur Figaro comme l'obstacle qui nuit à
25 Monseigneur ; et sans le petit page...

SUZANNE, *timidement.* Don Chérubin ?

BAZILE *la contrefait. Cherubino di amore,* qui tourne autour de vous sans cesse, et qui ce matin encore rôdait ici pour y entrer, quand je vous ai quittée. Dites que cela n'est pas vrai ? 30

SUZANNE. Quelle imposture ! Allez-vous-en, méchant homme !

BAZILE. On est un méchant homme, parce qu'on y voit clair. N'est-ce pas pour vous aussi, cette romance dont il fait mystère ? 35

SUZANNE, *en colère.* Ah ! oui, pour moi !...

BAZILE. À moins qu'il ne l'ait composée pour Madame ! En effet, quand il sert à table, on dit qu'il la regarde avec des yeux !... Mais, peste, qu'il ne s'y joue pas ! Monseigneur est *brutal* sur l'article[1]. 40

SUZANNE, *outrée.* Et vous bien scélérat, d'aller semant de pareils bruits pour perdre un malheureux enfant tombé dans la disgrâce de son maître.

BAZILE. L'ai-je inventé ? Je le dis, parce que tout le monde en parle. 45

LE COMTE *se lève.* Comment, tout le monde en parle !

SUZANNE[2]. Ah Ciel !

BAZILE. Ha ! ha !

LE COMTE. Courez, Bazile, et qu'on le chasse.

BAZILE. Ah ! que je suis fâché d'être entré ! 50

SUZANNE, *troublée.* Mon Dieu ! Mon Dieu !

LE COMTE, *à Bazile.* Elle est saisie. Asseyons-la dans ce fauteuil.

SUZANNE *le repousse vivement.* Je ne veux pas m'asseoir. Entrer ainsi librement, c'est indigne ! 55

LE COMTE. Nous sommes deux avec toi, ma chère. Il n'y a plus le moindre danger !

---

1. ***Brutal* sur l'article :** violent sur ce sujet.
2. Chérubin *dans le fauteuil*, le Comte, Suzanne, Bazile. (Note de Beaumarchais.)

BAZILE. Moi je suis désolé de m'être égayé sur le page, puisque vous l'entendiez. Je n'en usais ainsi que pour
60 pénétrer ses sentiments ; car au fond...

LE COMTE. Cinquante pistoles, un cheval, et qu'on le renvoie à ses parents.

BAZILE. Monseigneur, pour un badinage ?

LE COMTE. Un petit libertin[1] que j'ai surpris encore hier
65 avec la fille du jardinier.

BAZILE. Avec Fanchette ?

LE COMTE. Et dans sa chambre.

SUZANNE, *outrée.* Où Monseigneur avait sans doute affaire aussi !

70 **LE COMTE,** *gaiement.* J'en aime assez la remarque.

BAZILE. Elle est d'un bon augure.

LE COMTE, *gaiement.* Mais non ; j'allais chercher ton oncle Antonio, mon ivrogne de jardinier, pour lui donner des ordres. Je frappe, on est longtemps à m'ouvrir ; ta cou-
75 sine a l'air empêtré ; je prends un soupçon, je lui parle, et tout en causant j'examine. Il y avait derrière la porte une espèce de rideau, de portemanteau[2], de je ne sais pas quoi, qui couvrait des hardes[3] ; sans faire semblant de rien, je vais doucement, doucement lever ce rideau[4] *(pour imiter*
80 *le geste il lève la robe du fauteuil),* et je vois... *(Il aperçoit le page.)* Ah !...

BAZILE. Ha ! ha !

LE COMTE. Ce tour-ci vaut l'autre.

BAZILE. Encore mieux.

---

1. **Libertin :** débauché.
2. **Portemanteau :** penderie.
3. **Hardes :** vêtements.
4. Suzanne, Chérubin *dans le fauteuil*, le Comte, Bazile. (Note de Beaumarchais.)

LE COMTE, *à Suzanne.* À merveille, mademoiselle ! à 85
peine fiancée vous faites de ces apprêts ? C'était pour recevoir mon page que vous désiriez d'être seule ? Et vous,
monsieur, qui ne changez point de conduite, il vous man-
quait de vous adresser, sans respect pour votre marraine, à
sa première camariste, à la femme de votre ami ! Mais je 90
ne souffrirai pas que Figaro, qu'un homme que j'estime et
que j'aime, soit victime d'une pareille tromperie. Était-il
avec vous, Bazile ?

SUZANNE, *outrée.* Il n'y a tromperie, ni victime ; il était là
lorsque vous me parliez. 95

LE COMTE, *emporté.* Puisses-tu mentir en le disant ! Son
plus cruel ennemi n'oserait lui souhaiter ce malheur.

SUZANNE. Il me priait d'engager Madame à vous demander sa grâce. Votre arrivée l'a si fort troublé qu'il s'est mas-
qué de ce fauteuil. 100

LE COMTE, *en colère.* Ruse d'enfer ! Je m'y suis assis en
entrant.

CHÉRUBIN. Hélas, Monseigneur, j'étais tremblant derrière.

LE COMTE. Autre fourberie ! Je viens de m'y placer moi-
même. 105

CHÉRUBIN. Pardon ; mais c'est alors que je me suis blotti
dedans.

LE COMTE, *plus outré.* C'est donc une couleuvre que ce
petit… serpent-là ! Il nous écoutait !

CHÉRUBIN. Au contraire, Monseigneur, j'ai fait ce que j'ai 110
pu pour ne rien entendre.

LE COMTE. Ô perfidie ! *(À Suzanne.)* Tu n'épouseras pas
Figaro.

BAZILE. Contenez-vous, on vient.

LE COMTE, *tirant Chérubin du fauteuil et le mettant sur* 115
ses pieds. Il resterait là devant toute la terre !

Chérubin caché dans le fauteuil (acte I, scène 9).
Gravure de Jean Dambrun.

Scène 10

CHÉRUBIN, SUZANNE, FIGARO,
LA COMTESSE, LE COMTE,
FANCHETTE, BAZILE ;
*beaucoup de valets, paysannes,
paysans vêtus de blanc*

FIGARO, *tenant une toque de femme, garnie de plumes blanches et de rubans blancs, parle à la Comtesse.* Il n'y a que vous, Madame, qui puissiez nous obtenir cette faveur.

LA COMTESSE. Vous le voyez, monsieur le Comte, ils me supposent un crédit que je n'ai point, mais comme leur demande n'est pas déraisonnable… 5

LE COMTE, *embarrassé.* Il faudrait qu'elle le fût beaucoup…

FIGARO, *bas à Suzanne.* Soutiens bien mes efforts.

SUZANNE, *bas à Figaro.* Qui ne mèneront à rien.

FIGARO, *bas.* Va toujours. 10

LE COMTE, *à Figaro.* Que voulez-vous ?

FIGARO. Monseigneur, vos vassaux, touchés de l'abolition d'un certain droit fâcheux que votre amour pour Madame…

LE COMTE. Hé bien, ce droit n'existe plus, que veux-tu dire ?…

FIGARO, *malignement.* Qu'il est bien temps que la vertu 15 d'un si bon maître éclate ; elle m'est d'un tel avantage, aujourd'hui, que je désire être le premier à la célébrer à mes noces.

LE COMTE, *plus embarrassé.* Tu te moques, ami ! L'abolition d'un droit honteux n'est que l'acquit d'une 20 dette envers l'honnêteté. Un Espagnol peut vouloir conquérir la beauté par des soins[1] ; mais en exiger le premier, le plus doux emploi, comme une servile redevance,

---

1. **Soins :** attentions galantes.

ah ! c'est la tyrannie d'un Vandale[1], et non le droit avoué
25 d'un noble Castillan[2].

FIGARO, *tenant Suzanne par la main.* Permettez donc que
cette jeune créature, de qui votre sagesse a préservé l'honneur, reçoive de votre main, publiquement, la toque virginale, ornée de plumes et de rubans blancs, symbole de la
30 pureté de vos intentions : adoptez-en la cérémonie pour
tous les mariages, et qu'un quatrain chanté en chœur rappelle à jamais le souvenir...

LE COMTE, *embarrassé.* Si je ne savais pas qu'amoureux,
poète et musicien sont trois titres d'indulgence pour toutes
35 les folies...

FIGARO. Joignez-vous à moi, mes amis.

TOUS ENSEMBLE. Monseigneur ! Monseigneur !

SUZANNE, *au Comte.* Pourquoi fuir un éloge que vous
méritez si bien ?

40 **LE COMTE,** *à part.* La perfide !

FIGARO. Regardez-la donc, Monseigneur. Jamais plus
jolie fiancée ne montrera mieux la grandeur de votre
sacrifice.

SUZANNE. Laisse là ma figure, et ne vantons que sa vertu.

45 **LE COMTE,** *à part.* C'est un jeu que tout ceci.

LA COMTESSE. Je me joins à eux, monsieur le Comte ; et
cette cérémonie me sera toujours chère, puisqu'elle doit
son motif à l'amour charmant que vous aviez pour moi.

LE COMTE. Que j'ai toujours, madame ; et c'est à ce titre
50 que je me rends.

TOUS ENSEMBLE. Vivat !

---

1. **Vandale :** barbare, ici.
2. **Castillan :** habitant de la Castille, région du centre de l'Espagne, dont
   la capitale est Madrid.

LE COMTE, *à part.* Je suis pris. *(Haut.)* Pour que la cérémonie eût un peu plus d'éclat, je voudrais seulement
qu'on la remît à tantôt. *(À part.)* Faisons vite chercher
Marceline.   55

FIGARO, *à Chérubin.* Eh bien, espiègle, vous n'applaudis-
sez pas ?

SUZANNE. Il est au désespoir ; Monseigneur le renvoie.

LA COMTESSE. Ah ! monsieur, je demande sa grâce.

LE COMTE. Il ne la mérite point.   60

LA COMTESSE. Hélas ! il est si jeune !

LE COMTE. Pas tant que vous le croyez.

CHÉRUBIN, *tremblant.* Pardonner généreusement n'est
pas le droit du seigneur auquel vous avez renoncé en
épousant Madame.   65

LA COMTESSE. Il n'a renoncé qu'à celui qui vous affligeait tous.

SUZANNE. Si Monseigneur avait cédé le droit de pardonner, ce serait sûrement le premier qu'il voudrait racheter
en secret.   70

LE COMTE, *embarrassé.* Sans doute.

LA COMTESSE. Eh pourquoi le racheter ?

CHÉRUBIN, *au Comte.* Je fus léger dans ma conduite, il
est vrai, Monseigneur ; mais jamais la moindre indiscré-
tion dans mes paroles…   75

LE COMTE, *embarrassé.* Eh bien, c'est assez…

FIGARO. Qu'entend-il [1] ?

LE COMTE, *vivement.* C'est assez, c'est assez. Tout le
monde exige son pardon, je l'accorde ; et j'irai plus loin : je
lui donne une compagnie dans ma légion.   80

---

1. **Qu'entend-il ? :** que veut-il dire ?

TOUS ENSEMBLE. Vivat !

LE COMTE. Mais c'est à condition qu'il partira sur-le-champ pour joindre en Catalogne[1].

FIGARO. Ah ! Monseigneur, demain.

85 **LE COMTE** *insiste.* Je le veux.

CHÉRUBIN. J'obéis.

LE COMTE. Saluez votre marraine, et demandez sa protection. *(Chérubin met un genou en terre devant la Comtesse, et ne peut parler.)*

90 **LA COMTESSE,** *émue.* Puisqu'on ne peut vous garder seulement aujourd'hui, partez, jeune homme. Un nouvel état vous appelle ; allez le remplir dignement. Honorez votre bienfaiteur. Souvenez-vous de cette maison, où votre jeunesse a trouvé tant d'indulgence. Soyez soumis, honnête

95 et brave ; nous prendrons part à vos succès. *(Chérubin se relève et retourne à sa place.)*

LE COMTE. Vous êtes bien émue, madame !

LA COMTESSE. Je ne m'en défends pas. Qui sait le sort d'un enfant jeté dans une carrière aussi dangereuse ? Il est

100 allié de mes parents ; et de plus, il est mon filleul.

LE COMTE, *à part.* Je vois que Bazile avait raison. *(Haut.)* Jeune homme, embrassez Suzanne… pour la dernière fois.

FIGARO. Pourquoi cela, Monseigneur ? Il viendra passer ses hivers. Baise-moi donc aussi, capitaine ! *(Il l'embrasse.)*

105 Adieu, mon petit Chérubin. Tu vas mener un train de vie bien différent, mon enfant : dame ! tu ne rôderas plus tout le jour au quartier des femmes, plus d'échaudés[2], de goûters à la crème ; plus de main-chaude[3] ou de colin-maillard. De bons soldats, morbleu ! basanés, mal vêtus ; un grand

---

1. **Joindre en Catalogne :** rejoindre son régiment en Catalogne.
2. **Échaudés :** gâteaux à la crème.
3. **Main-chaude :** jeu.

fusil bien lourd : tourne à droite, tourne à gauche, en [110] avant, marche à la gloire[8] ; et ne va pas broncher en chemin, à moins qu'un bon coup de feu...

SUZANNE. Fi donc, l'horreur !

LA COMTESSE. Quel pronostic !

LE COMTE. Où donc est Marceline ? Il est bien singulier [115] qu'elle ne soit pas des vôtres.

FANCHETTE. Monseigneur, elle a pris le chemin du bourg, par le petit sentier de la ferme.

LE COMTE. Et elle en reviendra ?...

BAZILE. Quand il plaira à Dieu. [120]

FIGARO. S'il lui plaisait qu'il ne lui plût jamais...

FANCHETTE. Monsieur le Docteur lui donnait le bras.

LE COMTE, *vivement.* Le docteur est ici ?

BAZILE. Elle s'en est d'abord[9] emparée...

LE COMTE, *à part.* Il ne pouvait venir plus à propos. [125]

FANCHETTE. Elle avait l'air bien échauffé ; elle parlait tout haut en marchant, puis elle s'arrêtait, et faisait comme ça de grands bras[10]... et monsieur le docteur lui faisait comme ça de la main, en l'apaisant : elle paraissait si courroucée ! elle nommait mon cousin Figaro. [130]

LE COMTE *lui prend le menton.* Cousin... futur.

FANCHETTE, *montrant Chérubin.* Monseigneur, nous avez-vous pardonné d'hier ?...

LE COMTE *interrompt.* Bonjour, bonjour, petite.

FIGARO. C'est son chien d'amour qui la berce : elle aurait [135] troublé notre fête.

---

1. **Tourne [...] gloire :** citation approximative d'un passage de l'article « guerre » de Voltaire, dans l'*Encyclopédie*.
2. **D'abord :** aussitôt.
3. **De grands bras :** de grands gestes avec les bras.

LE COMTE, *à part.* Elle la troublera, je t'en réponds. *(Haut.)* Allons, madame, entrons. Bazile, vous passerez chez moi.

140   **SUZANNE**, *à Figaro.* Tu me rejoindras, mon fils ?

FIGARO, *bas à Suzanne.* Est-il bien enfilé[1] ?

SUZANNE, *bas.* Charmant garçon ! *(Ils sortent tous.)*

---

1. **Enfilé :** trompé.

Scène 11 CHÉRUBIN, FIGARO, BAZILE
(Pendant qu'on sort, Figaro les arrête tous deux et les ramène.)

FIGARO. Ah ça, vous autres ! la cérémonie adoptée, ma fête de ce soir en est la suite ; il faut bravement nous recorder[1] : ne faisons point comme ces acteurs qui ne jouent jamais si mal que le jour où la critique est le plus éveillée. Nous n'avons point de lendemain qui nous ⁵ excuse, nous. Sachons bien nos rôles aujourd'hui.

BAZILE, *malignement.* Le mien est plus difficile que tu ne crois.

FIGARO, *faisant, sans qu'il le voie, le geste de le rosser.* Tu es loin aussi de savoir tout le succès qu'il te vaudra. ¹⁰

CHÉRUBIN. Mon ami, tu oublies que je pars.

FIGARO. Et toi, tu voudrais bien rester !

CHÉRUBIN. Ah ! si je le voudrais !

FIGARO. Il faut ruser. Point de murmure à ton départ. Le manteau de voyage à l'épaule ; arrange ouvertement ta ¹⁵ trousse, et qu'on voie ton cheval à la grille ; un temps de galop jusqu'à la ferme ; reviens à pied par les derrières. Monseigneur te croira parti ; tiens-toi seulement hors de sa vue ; je me charge de l'apaiser après la fête.

CHÉRUBIN. Mais Fanchette qui ne sait pas son rôle ! ²⁰

BAZILE. Que diable lui apprenez-vous donc, depuis huit jours que vous ne la quittez pas ?

FIGARO. Tu n'as rien à faire aujourd'hui : donne-lui, par grâce, une leçon.

BAZILE. Prenez garde, jeune homme, prenez garde ! Le ²⁵ père n'est pas satisfait ; la fille a été souffletée ; elle n'étu-

---

1. **Nous recorder :** répéter notre rôle.

die pas avec vous : Chérubin ! Chérubin ! vous lui cause-
rez des chagrins ! « Tant va la cruche à l'eau !... »

FIGARO. Ah ! voilà notre imbécile avec ses vieux proverbes !
30 Hé bien, pédant[1], que dit la sagesse des nations ? « Tant va
la cruche à l'eau qu'à la fin... »

BAZILE. Elle s'emplit.

FIGARO, *en s'en allant.* Pas si bête, pourtant, pas si bête !

---

1. **Pédant :** pédagogue.

Clefs d'analyse

Acte I, scènes 3 à 11.

Compréhension

L'information

- Repérer les éléments d'information nouveaux sur les personnages et la situation (I, 4, 9, 10).
- Observer les rapports de force entre Figaro et Bartholo (I, 3), Figaro et Marceline (I, 4) ; Marceline et Suzanne (I, 4 et 5), Chérubin et le Comte (I, 7 puis I, 9), le Comte et la Comtesse (I, 10).
- Observer le personnage du comte en libertin calculateur (I, 8), jaloux (I, 9 et 10), mais habile (I, 10).
- Observer le personnage du jeune Chérubin, spontané, lutinant toutes les femmes, désorienté par ses pulsions (I, 7).

Une action mouvementée

- Observer le rôle joué par les accessoires (I, 6-9).
- Observer le rôle joué par le peuple vis-à-vis du Comte (I, 10).

Réflexion

Une situation constamment remise en jeu

- Montrer les effets comiques et la fonction dramatique des scènes où des personnages sont cachés (I, 7-9).

Les petitesses d'un grand seigneur

- Analyser les paradoxes du personnage du Comte : grand seigneur non exempt de bassesses, tantôt libertin, tantôt jaloux.

Un jeu avec les conventions théâtrales

- Expliquer en quoi Beaumarchais implique le spectateur.

À retenir :

Les scènes 3 à 11 de l'acte I complètent l'exposition amorcée plus tôt : l'ensemble de la situation et des personnages est maintenant connu, conformément aux règles du théâtre classique. Une situation particulièrement complexe : plusieurs intrigues parallèles s'annoncent, et les premières péripéties soulignent déjà la réversibilité de l'humeur des personnages et de la situation.

Synthèse Acte I

Une embrouille amoureuse

Personnages

Des relations complexes

Dès le premier acte, c'est la variété des personnages principaux et la complexité de leurs relations, notamment amoureuses, qui frappent le spectateur.

Du côté des personnages positifs, Figaro, le personnage-titre, cumule les emplois de valet et de jeune amoureux ; rusé, insolent, c'est aussi un fin politique ; Suzanne tient le double rôle de suivante amoureuse et d'ingénue, mâtinée d'une bonne dose de coquetterie ; la Comtesse, qui apparaît brièvement dans cet acte, est un rôle noble d'épouse délaissée, vertueuse, mais sensible au charme de Chérubin, personnage radicalement nouveau, ni enfant ni adulte, ni homme ni femme, intermédiaire entre l'ange et le petit dieu Amour de l'Antiquité, dont les élans amoureux sont aussi spontanés qu'incontrôlés.

Du côté des personnages apparemment négatifs, le Comte, dans un rôle de grand seigneur libertin et ombrageux ; Bartholo, « l'éternel docteur », le « railleur fade et cruel » auquel le Comte a subtilisé sa pupille ; Marceline, « duègne », « toujours amère et provocante », qui a néanmoins l'excuse d'avoir été délaissée par Bartholo et d'avoir dû abandonner leur enfant ; Bazile, enfin, habile « méchant homme » et « agent de corruption ». La situation de Figaro et de Suzanne est délicate. Tous deux souhaitent se marier et espèrent en même temps pouvoir tromper les attentes du Comte, leur seigneur et maître – qui veut obtenir les faveurs de Suzanne –, tout en bénéficiant de la dot par lui promise. Or ce projet matrimonial ne pourra être mené à bien que si les amoureux parviennent à maintenir jusqu'à leur mariage le Comte dans l'espoir d'obtenir les faveurs de Suzanne. De plus, un autre obstacle s'annonce : Marceline est en effet décidée à intenter un procès à Figaro pour l'obliger à l'épouser. Lesquels, de ces personnages, l'emporteront ? Et à quel prix ?

Synthèse Acte I

Langage

Un langage efficace

L'efficacité d'une exposition, plus que tout autre moment d'une pièce, repose sur la capacité du langage à donner le ton à la pièce, à fournir des informations sur les personnages et la situation, à faire évoluer l'intrigue. Dans ce premier acte, le mélange constant des registres (comique, satirique, lyrique, élégiaque), les éléments d'information habilement distillés, la brièveté des échanges, la dynamique du monologue de Figaro, qui dialogue avec plusieurs interlocuteurs imaginaires, les paroles surprises par les personnages cachés (I, 8-9), nous font entrer de plain-pied dans la comédie, avec sa gaieté nuancée et son action trépidante. L'usage fréquent de formules récapitulatives (« La charmante fille ! toujours riante, verdissante, pleine de gaieté, d'esprit, d'amour et de délices ! mais sage ! », 2 ; « On ne sait comment définir le Comte ; il est jaloux et libertin », 4) et d'apostrophes lapidaires (« Adieu, jolie fiancée de notre Figaro » / « L'accordée secrète de Monseigneur », 5) contribuent par ailleurs à dessiner précisément les caractères.

Société

Liberté populaire contre libertinage aristocratique

L'enjeu social du *Mariage de Figaro* est de taille : Figaro et Suzanne pourront-ils empêcher leur noble maître d'obtenir, comme cela se pratiquait avant l'abolition du droit du seigneur, les faveurs de la fiancée avant son mariage ? La situation de la chambre des fiancés est significative d'une position sociale qui est encore celle de la dépendance. En revanche, le concours massif des villageois, venus commémorer avec les fiancés et le couple Almaviva l'abolition de ce honteux droit du seigneur (I, 10), laisse espérer que le peuple saura, le moment venu, faire entendre raison au Comte.

ACTE II

Scène 1 SUZANNE, LA COMTESSE *entrent par la porte à droite*

Le théâtre représente une chambre à coucher superbe, un grand lit en alcôve, une estrade au-devant. La porte pour entrer s'ouvre et se ferme à la troisième coulisse à droite ; celle d'un cabinet, à la première coulisse à gauche. Une porte, dans le fond, va chez les femmes. Une fenêtre s'ouvre de l'autre côté.

LA COMTESSE *se jette dans une bergère*[1]. Ferme la porte, Suzanne, et conte-moi tout, dans le plus grand détail.

SUZANNE. Je n'ai rien caché à Madame.

LA COMTESSE. Quoi, Suzon, il voulait te séduire ?

5 **SUZANNE.** Oh ! que non ! Monseigneur n'y met pas tant de façons avec sa servante : il voulait m'acheter.

LA COMTESSE. Et le petit page était présent ?

SUZANNE. C'est-à-dire, caché derrière le grand fauteuil. Il venait me prier de vous demander sa grâce.

10 **LA COMTESSE.** Hé ! pourquoi ne pas s'adresser à moi-même ? est-ce que je l'aurais refusé[2], Suzon ?

SUZANNE. C'est ce que j'ai dit : mais ses regrets de partir, et surtout de quitter Madame ! « Ah ! Suzon, qu'elle est noble et belle ! mais qu'elle est imposante ! »

15 **LA COMTESSE.** Est-ce que j'ai cet air-là, Suzon ? Moi qui l'ai toujours protégé.

SUZANNE. Puis il a vu votre ruban de nuit que je tenais : il s'est jeté dessus…

LA COMTESSE, *souriant.* Mon ruban ?… Quelle enfance[3] !

---

1. **Bergère :** fauteuil large et profond.
2. **Refusé :** refoulé, repoussé.
3. **Enfance :** enfantillage.

SUZANNE. J'ai voulu le lui ôter ; Madame, c'était un lion ; 20
ses yeux brillaient… « Tu ne l'auras qu'avec ma vie »,
disait-il, en forçant sa petite voix douce et grêle.

LA COMTESSE, *rêvant.* Eh bien, Suzon ?

SUZANNE. Eh bien, Madame, est-ce qu'on peut faire finir
ce petit démon-là ? ma marraine par-ci ; je voudrais bien 25
par l'autre ; et parce qu'il n'oserait seulement baiser la
robe de Madame, il voudrait toujours m'embrasser, moi.

LA COMTESSE, *rêvant.* Laissons… laissons ces folies…
Enfin, ma pauvre Suzanne, mon époux a fini par te dire ?…

SUZANNE. Que si je ne voulais pas l'entendre, il allait pro- 30
téger Marceline.

LA COMTESSE *se lève et se promène en se servant fortement
de l'éventail.* Il ne m'aime plus du tout.

SUZANNE. Pourquoi tant de jalousie ?

LA COMTESSE. Comme tous les maris, ma chère ! uni- 35
quement par orgueil. Ah ! je l'ai trop aimé ! je l'ai lassé de
mes tendresses et fatigué de mon amour ; voilà mon seul
tort avec lui : mais je n'entends pas que cet honnête aveu
te nuise, et tu épouseras Figaro. Lui seul peut nous y
aider : viendra-t-il ? 40

SUZANNE. Dès qu'il verra partir la chasse.

LA COMTESSE, *se servant de l'éventail.* Ouvre un peu la
croisée[1] sur le jardin. Il fait une chaleur ici !…

SUZANNE. C'est que Madame parle et marche avec
action[2]. *(Elle va ouvrir la croisée du fond.)* 45

LA COMTESSE, *rêvant longtemps.* Sans cette constance à
me fuir… Les hommes sont bien coupables !

---

1. **Croisée :** fenêtre.
2. **Avec action :** avec animation, énergiquement.

SUZANNE *crie de la fenêtre.* Ah ! voilà Monseigneur qui traverse à cheval le grand potager, suivi de Pédrille, avec
50 deux, trois, quatre lévriers.

LA COMTESSE. Nous avons du temps devant nous. *(Elle s'assied.)* On frappe, Suzon ?

SUZANNE *court ouvrir en chantant.* Ah ! c'est mon Figaro ! ah ! c'est mon Figaro !

Scène 2 FIGARO, SUZANNE ; LA COMTESSE, *assise*

SUZANNE. Mon cher ami ! viens donc ! Madame est dans une impatience !...

FIGARO. Et toi, ma petite Suzanne ? – Madame n'en doit prendre aucune. Au fait, de quoi s'agit-il ? d'une misère. Monsieur le Comte trouve notre jeune femme aimable, il voudrait en faire sa maîtresse ; et c'est bien naturel. ₅

SUZANNE. Naturel ?

FIGARO. Puis il m'a nommé courrier de dépêches, et Suzon conseiller d'ambassade. Il n'y a pas là d'étourderie.

SUZANNE. Tu finiras ? ₁₀

FIGARO. Et parce que Suzanne, ma fiancée, n'accepte pas le diplôme[1], il va favoriser les vues de Marceline. Quoi de plus simple encore ? Se venger de ceux qui nuisent à nos projets en renversant les leurs, c'est ce que chacun fait, ce que nous allons faire nous-mêmes. Hé bien, voilà tout pourtant. ₁₅

LA COMTESSE. Pouvez-vous, Figaro, traiter si légèrement un dessein qui nous coûte à tous le bonheur ?

FIGARO. Qui dit cela, Madame ?

SUZANNE. Au lieu de t'affliger de nos chagrins...

FIGARO. N'est-ce pas assez que je m'en occupe ? Or, pour ₂₀ agir aussi méthodiquement que lui, tempérons d'abord son ardeur de nos possessions, en l'inquiétant sur les siennes.

LA COMTESSE. C'est bien dit ; mais comment ?

FIGARO. C'est déjà fait, Madame ; un faux avis donné sur vous... ₂₅

LA COMTESSE. Sur moi ! la tête vous tourne !

---

1. **Diplôme :** sous-entendu, diplôme de conseiller d'ambassade.

FIGARO. Oh ! c'est à lui qu'elle doit tourner.

LA COMTESSE. Un homme aussi jaloux !...

FIGARO. Tant mieux ; pour tirer parti des gens de ce
30 caractère, il ne faut qu'un peu leur fouetter le sang ; c'est
ce que les femmes entendent si bien ! Puis les tient-on
fâchés tout rouge : avec un brin d'intrigue on les mène où
l'on veut, par le nez, dans le Guadalquivir[1]. Je vous ai fait
rendre à Bazile un billet inconnu[2], lequel avertit
35 Monseigneur qu'un galant doit chercher à vous voir
aujourd'hui pendant le bal.

LA COMTESSE. Et vous vous jouez ainsi de la vérité sur le
compte d'une femme d'honneur !...

FIGARO. Il y en a peu, Madame, avec qui je l'eusse osé,
40 crainte de rencontrer juste.

LA COMTESSE. Il faudra que je l'en remercie !

FIGARO. Mais, dites-moi s'il n'est pas charmant de lui
avoir taillé ses morceaux de la journée[3], de façon qu'il
passe à rôder, à jurer après sa dame, le temps qu'il desti-
45 nait à se complaire avec la nôtre ? Il est déjà tout dérouté :
galopera-t-il celle-ci ? surveillera-t-il celle-là ? Dans son
trouble d'esprit, tenez, tenez, le voilà qui court la plaine, et
force un lièvre qui n'en peut mais[4]. L'heure du mariage
arrive en poste[5], il n'aura pas pris de parti contre, et jamais
50 il n'osera s'y opposer devant Madame.

SUZANNE. Non ; mais Marceline, le bel esprit, osera le
faire, elle.

FIGARO. Brrrr ! Cela m'inquiète bien, ma foi ! Tu feras dire
à Monseigneur que tu te rendras sur la brune au jardin.

---

1. **Guadalquivir :** fleuve qui passe à Séville.
2. **Inconnu :** anonyme.
3. **Taillé ses morceaux de la journée :** organisé sa journée.
4. **Qui n'en peut mais :** qui n'en peut plus.
5. **En poste :** à toute vitesse, comme par la poste.

SUZANNE. Tu comptes sur celui-là ?   55

FIGARO. Oh dame ! écoutez donc, les gens qui ne veulent rien faire de rien n'avancent rien et ne sont bons à rien. Voilà mon mot.

SUZANNE. Il est joli !

LA COMTESSE. Comme son idée. Vous consentiriez qu'elle   60
s'y rendît ?

FIGARO. Point du tout. Je fais endosser un habit de Suzanne à quelqu'un : surpris par nous au rendez-vous, le Comte pourra-t-il s'en dédire[1] ?

SUZANNE. À qui mes habits ?   65

FIGARO. Chérubin.

LA COMTESSE. Il est parti.

FIGARO. Non pas pour moi. Veut-on me laisser faire ?

SUZANNE. On peut s'en fier à lui pour mener une intrigue.

FIGARO. Deux, trois, quatre à la fois ; bien embrouillées,   70
qui se croisent. J'étais né pour être courtisan.

SUZANNE. On dit que c'est un métier si difficile !

FIGARO. Recevoir, prendre et demander, voilà le secret en trois mots.

LA COMTESSE. Il a tant d'assurance qu'il finit par m'en   75
inspirer.

FIGARO. C'est mon dessein.

SUZANNE. Tu disais donc ?

FIGARO. Que, pendant l'absence de Monseigneur, je vais vous envoyer le Chérubin : coiffez-le, habillez-le ; je le   80
renferme et l'endoctrine[2] ; et puis dansez, Monseigneur. *(Il sort).*

---

1. **S'en dédire :** dire qu'il n'y était pas.
2. **L'endoctrine :** lui donne les instructions.

Scène 3 SUZANNE, LA COMTESSE, *assise*

LA COMTESSE, *tenant sa boîte à mouches*[1]. Mon Dieu, Suzon, comme je suis faite[2] !... Ce jeune homme qui va venir !...

SUZANNE. Madame ne veut donc pas qu'il en réchappe[3] ?

5 **LA COMTESSE** *rêve devant sa petite glace.* Moi ?... tu verras comme je vais le gronder.

SUZANNE. Faisons-lui chanter sa romance. *(Elle la met sur la Comtesse.)*

LA COMTESSE. Mais, c'est qu'en vérité mes cheveux sont
10 dans un désordre...

SUZANNE, *riant.* Je n'ai qu'à reprendre ces deux boucles, Madame le grondera bien mieux.

LA COMTESSE, *revenant à elle.* Qu'est-ce que vous dites donc, mademoiselle ?

---

1. **Mouches :** petits ronds de tissu dont les femmes s'ornaient la joue ou le décolleté pour faire ressortir leur teint clair.
2. **Comme je suis faite :** comme je suis mise, quel air j'ai.
3. **Qu'il en réchappe :** qu'il échappe au charme de la comtesse.

Scène 4 CHÉRUBIN, *l'air honteux,* SUZANNE, LA COMTESSE, *assise*

SUZANNE. Entrez, monsieur l'officier ; on est visible.

CHÉRUBIN *avance en tremblant.* Ah ! que ce nom m'afflige, Madame ! il m'apprend qu'il faut quitter des lieux… une marraine si… bonne !…

SUZANNE. Et si belle !   5

CHÉRUBIN, *avec un soupir.* Ah ! oui.

SUZANNE *le contrefait.* « Ah ! oui. » Le bon jeune homme ! avec ses longues paupières hypocrites. Allons, bel oiseau bleu[1], chantez la romance à Madame.

LA COMTESSE *la déplie.* De qui… dit-on qu'elle est ?   10

SUZANNE. Voyez la rougeur du coupable : en a-t-il un pied[2] sur les joues ?

CHÉRUBIN. Est-ce qu'il est défendu… de chérir ?…

SUZANNE *lui met le poing sous le nez.* Je dirai tout, vaurien !   15

LA COMTESSE. Là… chante-t-il ?

CHÉRUBIN. Oh ! Madame, je suis si tremblant !…

SUZANNE, *en riant.* Et gnian, gnian, gnian, gnian, gnian, gnian, gnian, dès que Madame le veut, modeste auteur ! Je vais l'accompagner.   20

LA COMTESSE. Prends ma guitare. *(La Comtesse, assise, tient le papier pour suivre. Suzanne est derrière son fauteuil, et prélude en regardant la musique par-dessus sa maîtresse. Le petit page est devant elle, les yeux baissés. Ce tableau est*

---

1. **Bel oiseau bleu :** *Le Bel Oiseau bleu* est le titre d'un conte de Mme d'Aulnoy, très populaire au XVIIIe siècle.
2. **Un pied :** une « épaisseur » d'un pied.

25 *juste la belle estampe d'après Van Loo[1], appelée* La
Conversation espagnole.)

ROMANCE[2]

Air : *Marlbroug s'en va-t-en guerre[3].*

PREMIER COUPLET

30 *Mon coursier hors d'haleine,*
(Que mon cœur, mon cœur a de peine !)
J'errais de plaine en plaine,
Au gré du destrier.

DEUXIÈME COUPLET

35 *Au gré du destrier,*
Sans varlet, n'écuyer[4] ;
Là près d'une fontaine[5],
(Que mon cœur, mon cœur a de peine !)
Songeant à ma marraine,
40 *Sentais mes pleurs couler.*

TROISIÈME COUPLET

Sentais mes pleurs couler,
Prêt à me désoler.
Je gravais sur un frêne,
45 *(Que mon cœur, mon cœur a de peine !)*
Sa lettre sans la mienne ;
Le Roi vint à passer.

QUATRIÈME COUPLET

Le Roi vint à passer,
50 *Ses barons, son clergier[6].*

---

1. **Van Loo :** peintre français très renommé (1705-1765).
2. **Romance :** chanson populaire et sentimentale.
3. **Marlbroug s'en va-t-en guerre :** chanson populaire dans laquelle la
   mort et l'enterrement du duc de Marlborough, célèbre général anglais
   qui s'illustra dans les guerres contre Louis XIV, sont tournés en dérision.
4. **Sans varlet, n'écuyer :** sans valet ni écuyer.
5. Au spectacle, on a commencé la romance à ce vers, en disant : *Auprès*
   d'une fontaine. (Note de Beaumarchais.)
6. **Ses barons, son clergier :** ses vassaux, son clergé.

« *Beau page, dit la reine,*
(Que mon cœur, mon cœur a de peine !)
Qui vous met à la gêne[1] *?*
Qui vous fait tant plorer ?

CINQUIÈME COUPLET

55

Qui vous fait tant plorer ?
Nous faut le déclarer.
Madame et souveraine,
(Que mon cœur, mon cœur a de peine !)
J'avais une marraine,
Que toujours adorai[2].

60

SIXIÈME COUPLET

Que toujours adorai ;
Je sens que j'en mourrai.
Beau page, dit la reine,
(Que mon cœur, mon cœur a de peine !)
N'est-il qu'une marraine ?
Je vous en servirai.

65

SEPTIÈME COUPLET

Je vous en servirai ;
Mon page vous ferai ;
Puis à ma jeune Hélène,
(Que mon cœur, mon cœur a de peine !)
Fille d'un capitaine,
Un jour vous marirai.

70

75

HUITIÈME COUPLET

Un jour vous marirai,
Nenni, n'en faut parler !
Je veux, traînant ma chaîne,
(Que mon cœur, mon cœur a de peine !)
Mourir de cette peine,
Mais non m'en consoler.

80

---

1. **À la gêne :** à la torture.
2. Ici la Comtesse arrête le page en fermant le papier. Le reste ne se chante pas au théâtre. (Note de Beaumarchais.)

LA COMTESSE. Il a de la naïveté… du sentiment même.

SUZANNE *va poser la guitare sur un fauteuil*[1]. Oh ! pour
85 du sentiment, c'est un jeune homme qui… Ah ça ! monsieur l'officier, vous a-t-on dit que pour égayer la soirée nous voulons savoir d'avance si un de mes habits vous ira passablement ?

LA COMTESSE. J'ai peur que non.

90 **SUZANNE** *se mesure avec lui.* Il est de ma grandeur. Ôtons d'abord le manteau. *(Elle le détache.)*

LA COMTESSE. Et si quelqu'un entrait ?

SUZANNE. Est-ce que nous faisons du mal donc ? Je vais fermer la porte *(elle court)*, mais c'est la coiffure que je
105 veux voir.

LA COMTESSE. Sur ma toilette, une baigneuse[2] à moi.
(Suzanne entre dans le cabinet dont la porte est au bord du théâtre.)

---

1. Chérubin, Suzanne, la Comtesse. (Note de Beaumarchais.)
2. **baigneuse :** bonnet plissé.

Scène 5 Chérubin, La Comtesse, *assise*

La Comtesse. Jusqu'à l'instant du bal, le Comte ignorera que vous soyez au château. Nous lui dirons après que le temps d'expédier votre brevet[1] nous a fait naître l'idée…

Chérubin *le lui montre.* Hélas ! Madame, le voici ! Bazile me l'a remis de sa part.

La Comtesse. Déjà ? L'on a craint d'y perdre une minute. *(Elle lit.)* Ils se sont tant pressés qu'ils ont oublié d'y mettre son cachet[2]. *(Elle le lui rend.)*

Scène 6 Chérubin, La Comtesse, Suzanne

Suzanne *entre avec un grand bonnet.* Le cachet, à quoi ?

La Comtesse. À son brevet.

Suzanne. Déjà ?

La Comtesse. C'est ce que je disais. Est-ce là ma baigneuse ?

Suzanne *s'assied près de la Comtesse[3].* Et la plus belle de toutes. *(Elle chante avec des épingles dans sa bouche.)*
>   Tournez-vous donc envers ici,
>   Jean de Lyra, mon bel ami.

(Chérubin se met à genoux. Elle le coiffe.)
Madame, il est charmant !

---

1. **Brevet :** copie de l'acte où apparaît sa nomination d'officier.
2. **Cachet :** le cachet du Comte doit authentifier le brevet.
3. Chérubin, Suzanne, la Comtesse. (Note de Beaumarchais.)

LA COMTESSE. Arrange son collet d'un air un peu plus féminin.

SUZANNE *l'arrange.* Là… mais voyez donc ce morveux,
15 comme il est joli en fille ! j'en suis jalouse, moi ! *(Elle lui prend le menton.)* Voulez-vous bien n'être pas joli comme ça ?

LA COMTESSE. Qu'elle est folle ! il faut relever la manche, afin que l'amadis[1] prenne mieux… *(Elle la retrousse.)* Qu'est-ce qu'il a donc au bras ? Un ruban !

20 **SUZANNE.** Et un ruban à vous. Je suis bien aise que Madame l'ait vu. Je lui avais dit que je le dirais, déjà ! Oh ! si Monseigneur n'était pas venu, j'aurais bien repris le ruban ; car je suis presque aussi forte que lui.

LA COMTESSE. Il y a du sang ! *(Elle détache le ruban.)*

25 **CHÉRUBIN,** *honteux.* Ce matin, comptant partir, j'arrangeais la gourmette[2] de mon cheval ; il a donné de la tête, et la bossette[3] m'a effleuré le bras.

LA COMTESSE. On n'a jamais mis un ruban…

SUZANNE. Et surtout un ruban volé. – Voyons donc ce
30 que la bossette… la courbette… la cornette du cheval… Je n'entends rien à tous ces noms-là. – Ah ! qu'il a le bras blanc ; c'est comme une femme ! plus blanc que le mien ! Regardez donc, Madame ! *(Elle les compare.)*

LA COMTESSE *d'un ton glacé.* Occupez-vous plutôt de
35 m'avoir du taffetas gommé[4] dans ma toilette. *(Suzanne lui pousse la tête en riant ; il tombe sur les deux mains. Elle entre dans le cabinet au bord du théâtre.)*

---

1. **Amadis :** manche de robe, serrée au poignet, qui doit son nom au costume d'Amadis, personnage d'un opéra de Quinault au XVIIᵉ siècle.
2. **Gourmette :** chaînette réunissant les deux branches du mors.
3. **Bossette :** ornement du mors, en forme de bosse.
4. **Taffetas gommé :** tissu à pansements.

Scène 7 Chérubin, *à genoux,* La Comtesse, *assise*

La Comtesse *reste un moment sans parler, les yeux sur son ruban. Chérubin la dévore de ses regards.* Pour mon ruban, monsieur… comme c'est celui dont la couleur m'agrée le plus… j'étais fort en colère de l'avoir perdu.

Scène 8 Chérubin, *à genoux,* La Comtesse, *assise,* Suzanne

Suzanne, *revenant.* Et la ligature à son bras ? *(Elle remet à la Comtesse du taffetas gommé et des ciseaux.)*

La Comtesse. En allant lui chercher tes hardes, prends le ruban d'un autre bonnet. *(Suzanne sort par la porte du fond, en emportant le manteau du page.)* 5

Scène 9 Chérubin, *à genoux,* La Comtesse, *assise*

Chérubin, *les yeux baissés.* Celui qui m'est ôté m'aurait guéri en moins de rien.

La Comtesse. Par quelle vertu ? *(Lui montrant le taffetas.)* Ceci vaut mieux.

5 **Chérubin,** *hésitant.* Quand un ruban… a serré la tête… ou touché la peau d'une personne…

La Comtesse, *coupant la phrase.* … Étrangère, il devient bon pour les blessures ? J'ignorais cette propriété. Pour l'éprouver, je garde celui-ci qui vous a serré le bras. À la
10 première égratignure… de mes femmes, j'en ferai l'essai.

Chérubin, *pénétré.* Vous le gardez, et moi je pars !

La Comtesse. Non pour toujours.

Chérubin. Je suis si malheureux !

La Comtesse, *émue.* Il pleure à présent ! C'est ce vilain
15 Figaro avec son pronostic !

Chérubin, *exalté.* Ah ! je voudrais toucher au terme qu'il m'a prédit ! Sûr de mourir à l'instant, peut-être ma bouche oserait…

La Comtesse *l'interrompt, et lui essuie les yeux avec son*
20 *mouchoir.* Taisez-vous, taisez-vous, enfant ! Il n'y a pas un brin de raison dans tout ce que vous dites. *(On frappe à la porte, elle élève la voix.)* Qui frappe ainsi chez moi ?

Scène 10 CHÉRUBIN, LA COMTESSE, LE COMTE, *en dehors*

LE COMTE, *en dehors.* Pourquoi donc enfermée ?

LA COMTESSE, *troublée, se lève.* C'est mon époux ! grands dieux !... *(À Chérubin qui s'est levé aussi.)* Vous, sans manteau, le col et les bras nus ! seul avec moi ! cet air de désordre, un billet reçu, sa jalousie !...   5

LE COMTE, *en dehors.* Vous n'ouvrez pas ?

LA COMTESSE. C'est que... je suis seule.

LE COMTE, *en dehors.* Seule ! Avec qui parlez-vous donc ?

LA COMTESSE, *cherchant.* ... Avec vous sans doute.

CHÉRUBIN, *à part.* Après les scènes d'hier et de ce matin,   10
il me tuerait sur la place ! *(Il court au cabinet de toilette, y entre, et tire la porte sur lui.)*

Scène 11 LA COMTESSE, *seule, en ôte la clef et court ouvrir au Comte*

Ah ! quelle faute ! quelle faute !

LE COMTE ALMAVIVA.

Le comte Almaviva.
Gravure de Jean Duplessis-Bertaux.

Scène 12 Le Comte, La Comtesse

Le Comte, *un peu sévère.* Vous n'êtes pas dans l'usage de vous enfermer !

La Comtesse, *troublée.* Je… je chiffonnais[1]… oui, je chiffonnais avec Suzanne ; elle est passée un moment chez elle. 5

Le Comte *l'examine.* Vous avez l'air et le ton bien altérés !

La Comtesse. Cela n'est pas étonnant… pas étonnant du tout… je vous assure… nous parlions de vous… elle est passée, comme je vous dis… 10

Le Comte. Vous parliez de moi !… Je suis ramené par l'inquiétude ; en montant à cheval, un billet qu'on m'a remis, mais auquel je n'ajoute aucune foi, m'a… pourtant agité.

La Comtesse. Comment, monsieur ?… quel billet ?

Le Comte. Il faut avouer, madame, que vous ou moi 15 sommes entourés d'êtres… bien méchants ! On me donne avis que, dans la journée, quelqu'un que je crois absent doit chercher à vous entretenir.

La Comtesse. Quel que soit cet audacieux, il faudra qu'il pénètre ici car mon projet est de ne pas quitter ma 20 chambre de tout le jour.

Le Comte. Ce soir, pour la noce de Suzanne ?

La Comtesse. Pour rien au monde ; je suis très incommodée.

Le Comte. Heureusement le docteur est ici. *(Le page fait* 25 *tomber une chaise dans le cabinet.)* Quel bruit entends-je ?

---

1. **Chiffonnais :** essayais des toilettes.

LA COMTESSE, *plus troublée.* Du bruit ?

LE COMTE. On a fait tomber un meuble.

LA COMTESSE. Je... je n'ai rien entendu, pour moi.

30 **LE COMTE.** Il faut que vous soyez furieusement préoccupée !

LA COMTESSE. Préoccupée ! de quoi ?

LE COMTE. Il y a quelqu'un dans ce cabinet, madame.

LA COMTESSE. Hé... qui voulez-vous qu'il y ait, monsieur ?

LE COMTE. C'est moi qui vous le demande ; j'arrive.

35 **LA COMTESSE.** Hé mais... Suzanne apparemment qui range.

LE COMTE. Vous avez dit qu'elle était passée chez elle !

LA COMTESSE. Passée... ou entrée là ; je ne sais lequel.

LE COMTE. Si c'est Suzanne, d'où vient le trouble où je vous vois ?

40 **LA COMTESSE.** Du trouble pour ma camariste ?

LE COMTE. Pour votre camariste, je ne sais ; mais pour du trouble, assurément.

LA COMTESSE. Assurément, monsieur, cette fille vous trouble, et vous occupe beaucoup plus que moi.

45 **LE COMTE,** *en colère.* Elle m'occupe à tel point, madame, que je veux la voir à l'instant.

LA COMTESSE. Je crois, en effet, que vous le voulez souvent : mais voilà bien les soupçons les moins fondés...

Scène 13 Le Comte, La Comtesse, Suzanne *entre avec des hardes et pousse la porte du fond*

Le Comte. Ils en seront plus aisés à détruire. *(Il parle au cabinet.)* Sortez, Suzon, je vous l'ordonne ! *(Suzanne s'arrête auprès de l'alcôve dans le fond.)*

La Comtesse. Elle est presque nue, monsieur ; vient-on troubler ainsi des femmes dans leur retraite ? Elle essayait des hardes que je lui donne en la mariant ; elle s'est enfuie quand elle vous a entendu.

Le Comte. Si elle craint tant de se montrer, au moins elle peut parler. *(Il se tourne vers la porte du cabinet.)* Répondez-moi, Suzanne ; êtes-vous dans ce cabinet ? *(Suzanne, restée au fond, se jette dans l'alcôve et s'y cache.)*

La Comtesse, *vivement, parlant au cabinet.* Suzon, je vous défends de répondre. *(Au Comte.)* On n'a jamais poussé si loin la tyrannie !

Le Comte *s'avance au cabinet.* Oh ! bien, puisqu'elle ne parle pas, vêtue ou non, je la verrai.

La Comtesse *se met au-devant.* Partout ailleurs je ne puis l'empêcher ; mais j'espère aussi que chez moi...

Le Comte. Et moi j'espère savoir dans un moment quelle est cette Suzanne mystérieuse. Vous demander la clef serait, je le vois, inutile ; mais il est un moyen sûr de jeter en dedans cette légère porte. Holà ! quelqu'un !

La Comtesse. Attirer vos gens, et faire un scandale public d'un soupçon qui nous rendrait la fable du château ?

Le Comte. Fort bien, madame. En effet, j'y suffirai ; je vais à l'instant prendre chez moi ce qu'il faut... *(Il marche pour sortir, et revient.)* Mais pour que tout reste au même

état, voudrez-vous bien m'accompagner sans scandale et
30 sans bruit, puisqu'il vous déplaît tant ?... Une chose aussi
simple, apparemment, ne me sera pas refusée !

LA COMTESSE, *troublée.* Eh ! monsieur, qui songe à vous
contrarier ?

LE COMTE. Ah ! j'oubliais la porte qui va chez vos femmes ;
35 il faut que je la ferme aussi, pour que vous soyez pleinement justifiée. *(Il va fermer la porte du fond, et en ôte la
clef.)*

LA COMTESSE, *à part.* Ô Ciel ! étourderie funeste !

LE COMTE, *revenant à elle.* Maintenant que cette chambre
40 est close, acceptez mon bras, je vous prie ; *(il élève la voix)*
et quant à la Suzanne du cabinet, il faudra qu'elle ait la
bonté de m'attendre ; et le moindre mal qui puisse lui arriver à mon retour...

LA COMTESSE. En vérité, monsieur, voilà bien la plus
45 odieuse aventure... *(Le Comte l'emmène et ferme la porte à
la clef.)*

Scène 14 SUZANNE, CHÉRUBIN

SUZANNE *sort de l'alcôve, accourt au cabinet et parle à la
serrure.* Ouvrez, Chérubin, ouvrez vite, c'est Suzanne ;
ouvrez et sortez.

CHÉRUBIN *sort*[1]. Ah ! Suzon, quelle horrible scène !

5 **SUZANNE.** Sortez, vous n'avez pas une minute.

CHÉRUBIN, *effrayé.* Eh ! par où sortir ?

SUZANNE. Je n'en sais rien, mais sortez.

---

1. Chérubin, Suzanne. (Note de Beaumarchais.)

CHÉRUBIN. S'il n'y a pas d'issue ?

SUZANNE. Après la rencontre de tantôt, il vous écraserait, et nous serions perdues. – Courez conter à Figaro... 10

CHÉRUBIN. La fenêtre du jardin n'est peut-être pas bien haute. *(Il court y regarder.)*

SUZANNE, *avec effroi.* Un grand étage ! impossible Ah ! ma pauvre maîtresse ! Et mon mariage, ô ciel !

CHÉRUBIN *revient.* Elle donne sur la melonnière ; quitte à 15 gâter une couche ou deux.

SUZANNE *le retient et s'écrie.* Il va se tuer !

CHÉRUBIN, *exalté.* Dans un gouffre allumé, Suzon ! oui, je m'y jetterais plutôt que de lui nuire... Et ce baiser va me porter bonheur. *(Il l'embrasse et court sauter par la fenêtre.)* 20

Scène 15 SUZANNE, *seule, un cri de frayeur*

Ah !... *(Elle tombe assise un moment. Elle va péniblement regarder à la fenêtre et revient.)* Il est déjà bien loin. Oh ! le petit garnement ! Aussi leste que joli ! Si celui-là manque de femmes... Prenons sa place au plus tôt. *(En entrant dans le cabinet.)* Vous pouvez à présent, monsieur le 5 Comte, rompre la cloison, si cela vous amuse ; au diantre qui répond un mot[1]. *(Elle s'y enferme.)*

---

1. **Au diantre qui répond un mot :** et c'est bien le diable si quelqu'un répond.

Scène 16 LE COMTE, LA COMTESSE
rentrent dans la chambre

LE COMTE, *une pince à la main qu'il jette sur le fauteuil.*
Tout est bien comme je l'ai laissé. Madame, en m'exposant
à briser cette porte, réfléchissez aux suites : encore une
fois, voulez-vous l'ouvrir ?

5 **LA COMTESSE.** Eh, monsieur, quelle horrible humeur
peut altérer ainsi les égards entre deux époux ? Si l'amour
vous dominait au point de vous inspirer ces fureurs, malgré leur déraison, je les excuserais ; j'oublierais peut-être,
en faveur du motif, ce qu'elles ont d'offensant pour moi.
10 Mais la seule vanité peut-elle jeter dans cet excès un
galant homme ?

LE COMTE. Amour ou vanité, vous ouvrirez la porte ou je
vais à l'instant...

LA COMTESSE, *au-devant.* Arrêtez, monsieur, je vous prie !
15 Me croyez-vous capable de manquer à ce que je me dois ?

LE COMTE. Tout ce qu'il vous plaira, madame ; mais je
verrai qui est dans ce cabinet.

LA COMTESSE, *effrayée.* Hé bien, monsieur, vous le verrez. Écoutez-moi... tranquillement.

20 **LE COMTE.** Ce n'est donc pas Suzanne ?

LA COMTESSE, *timidement.* Au moins n'est-ce pas non
plus une personne... dont vous deviez rien redouter...
Nous disposions une plaisanterie... bien innocente en
vérité, pour ce soir ; et je vous jure...

25 **LE COMTE.** Et vous me jurez ?...

LA COMTESSE. Que nous n'avions pas plus de dessein de
vous offenser l'un que l'autre.

LE COMTE, *vite.* L'un que l'autre ? C'est un homme.

LA COMTESSE. Un enfant, monsieur.

LE COMTE. Hé ! qui donc ?   30

LA COMTESSE. À peine osé-je le nommer !

LE COMTE, *furieux.* Je le tuerai.

LA COMTESSE. Grands dieux !

LE COMTE. Parlez donc.

LA COMTESSE. Ce jeune… Chérubin…   35

LE COMTE. Chérubin ! l'insolent ! Voilà mes soupçons et
le billet expliqués.

LA COMTESSE, *joignant les mains.* Ah ! monsieur, gardez
de penser…

LE COMTE, *frappant du pied, à part.* Je trouverai partout ce   40
maudit page ! *(Haut.)* Allons, madame, ouvrez ; je sais tout
maintenant. Vous n'auriez pas été si émue, en le congédiant
ce matin ; il serait parti quand je l'ai ordonné ; vous n'auriez
pas mis tant de fausseté dans votre conte de Suzanne, il ne se
serait pas si soigneusement caché, s'il n'y avait rien de criminel.   45

LA COMTESSE. Il a craint de vous irriter en se montrant.

LE COMTE, *hors de lui, crie au cabinet.* Sors donc, petit
malheureux !

LA COMTESSE *le prend à bras-le-corps, en l'éloignant.* Ah !
monsieur, monsieur, votre colère me fait trembler pour   50
lui. N'en croyez pas un injuste soupçon, de grâce ! et que
le désordre où vous l'allez trouver…

LE COMTE. Du désordre !

LA COMTESSE. Hélas, oui ! Prêt à s'habiller en femme,
une coiffure à moi sur la tête, en veste et sans manteau, le   55
col ouvert, les bras nus : il allait essayer…

LE COMTE. Et vous vouliez garder votre chambre !
Indigne épouse ! ah ! vous la garderez… longtemps ; mais
il faut avant que j'en chasse un insolent, de manière à ne
plus le rencontrer nulle part.   60

LA COMTESSE *se jette à genoux, les bras élevés.* Monsieur le Comte, épargnez un enfant ; je ne me consolerais pas d'avoir causé...

65 **LE COMTE.** Vos frayeurs aggravent son crime.

LA COMTESSE. Il n'est pas coupable, il partait : c'est moi qui l'ai fait appeler.

LE COMTE, *furieux.* Levez-vous. Ôtez-vous... Tu es bien audacieuse d'oser me parler pour un autre !

70 **LA COMTESSE.** Eh bien ! je m'ôterai, monsieur, je me lèverai ; je vous remettrai même la clef du cabinet : mais, au nom de votre amour...

LE COMTE. De mon amour, perfide !

LA COMTESSE *se lève et lui présente la clef.* Promettez-moi
75 que vous laisserez aller cet enfant, sans lui faire aucun mal ; et puisse, après, tout votre courroux tomber sur moi, si je ne vous convaincs pas...

LE COMTE, *prenant la clef.* Je n'écoute plus rien.

LA COMTESSE *se jette sur une bergère, un mouchoir sur les*
80 *yeux.* Ô ciel ! il va périr !

LE COMTE *ouvre la porte, et recule.* C'est Suzanne !

Scène 17 La Comtesse, Le Comte, Suzanne

SUZANNE *sort en riant.* « Je le tuerai, je le tuerai. » Tuez-le donc, ce méchant page.

LE COMTE, *à part.* Ah ! quelle école ! *(Regardant la Comtesse qui est restée stupéfaite.)* Et vous aussi, vous jouez l'étonnement ?... Mais peut-être elle n'y est pas seule. *(Il entre.)* 5

Scène 18 La Comtesse *assise*, Suzanne

SUZANNE *accourt à sa maîtresse.* Remettez-vous, Madame ; il est bien loin, il a fait un saut...

LA COMTESSE. Ah ! Suzon ! je suis morte !

M.^{LE} CONTAT, Rôle de Suzanne.

SUZANNE
Je le tuerai, je le tuerai. Tuez-le donc, ce méchant page.
La Folle Journée Act. II. Sc. 17.

L'actrice Louise Contat dans le rôle de Suzanne.
Gravure de André Dutertre.

Scène 19 LA COMTESSE *assise*, SUZANNE, LE COMTE

LE COMTE *sort du cabinet d'un air confus. Après un court silence.* Il n'y a personne, et pour le coup j'ai tort. – Madame... vous jouez fort bien la comédie.

SUZANNE, *gaiement.* Et moi, Monseigneur ? *(La Comtesse, son mouchoir sur sa bouche, pour se remettre, ne parle pas.[1])* 5

LE COMTE *s'approche.* Quoi ! madame, vous plaisantiez ?

LA COMTESSE, *se remettant un peu.* Eh pourquoi non, monsieur ?

LE COMTE. Quel affreux badinage ! et par quel motif, je vous prie... ? 10

LA COMTESSE. Vos folies méritent-elles de la pitié ?

LE COMTE. Nommer folies ce qui touche à l'honneur !

LA COMTESSE, *assurant son ton par degrés.* Me suis-je unie à vous pour être éternellement dévouée[2] à l'abandon et à la jalousie, que vous seul osez concilier ? 15

LE COMTE. Ah ! madame, c'est sans ménagement[3].

SUZANNE. Madame n'avait qu'à vous laisser appeler les gens.

LE COMTE. Tu as raison, et c'est à moi de m'humilier... Pardon, je suis d'une confusion !... 20

SUZANNE. Avouez, Monseigneur, que vous la méritez un peu !

LE COMTE. Pourquoi donc ne sortais-tu pas lorsque je t'appelais ? Mauvaise !

---

1. Suzanne, la Comtesse, *assise*, le Comte. (Note de Beaumarchais.)
2. **Dévouée :** vouée.
3. **Ménagement :** préméditation.

₂₅ **SUZANNE.** Je me rhabillais de mon mieux, à grand renfort d'épingles ; et Madame, qui me le défendait, avait bien ses raisons pour le faire.

LE COMTE. Au lieu de rappeler mes torts, aide-moi plutôt à l'apaiser.

₃₀ **LA COMTESSE.** Non, monsieur ; un pareil outrage ne se couvre point[1]. Je vais me retirer aux Ursulines[2], et je vois trop qu'il en est temps.

LE COMTE. Le pourriez-vous sans quelques regrets ?

SUZANNE. Je suis sûre, moi, que le jour du départ serait la
₃₅ veille des larmes.

LA COMTESSE. Eh ! quand cela serait, Suzon ? j'aime mieux le regretter que d'avoir la bassesse de lui pardonner ; il m'a trop offensée.

LE COMTE. Rosine !...

₄₀ **LA COMTESSE.** Je ne la suis plus, cette Rosine que vous avez tant poursuivie ! Je suis la pauvre comtesse Almaviva, la triste femme délaissée, que vous n'aimez plus.

SUZANNE. Madame !

LE COMTE, *suppliant.* Par pitié !

₄₅ **LA COMTESSE.** Vous n'en aviez aucune pour moi.

LE COMTE. Mais aussi ce billet... Il m'a tourné le sang !

LA COMTESSE. Je n'avais pas consenti qu'on l'écrivît.

LE COMTE. Vous le saviez ?

LA COMTESSE. C'est cet étourdi de Figaro...

₅₀ **LE COMTE.** Il en était ?

LA COMTESSE. ... qui l'a remis à Bazile.

---

1. **Ne se couvre point :** ne peut se réparer.
2. **Ursulines :** couvent.

126

LE COMTE. Qui m'a dit le tenir d'un paysan. Ô perfide chanteur[1], lame à deux tranchants ! C'est toi qui payeras pour tout le monde. 55

LA COMTESSE. Vous demandez pour vous un pardon que vous refusez aux autres : voilà bien les hommes ! Ah ! si jamais je consentais à pardonner en faveur de l'erreur où vous a jeté ce billet, j'exigerais que l'amnistie fût générale.

LE COMTE. Eh bien, de tout mon cœur, Comtesse. Mais 60 comment réparer une faute aussi humiliante ?

LA COMTESSE *se lève.* Elle l'était pour tous deux.

LE COMTE. Ah ! dites pour moi seul. – Mais je suis encore à concevoir comment les femmes prennent si vite et si juste l'air et le ton des circonstances. Vous rougissiez, vous 65 pleuriez, votre visage était défait... D'honneur, il l'est encore.

LA COMTESSE, *s'efforçant de sourire.* Je rougissais... du ressentiment de vos soupçons. Mais les hommes sont-ils assez délicats pour distinguer l'indignation d'une âme 70 honnête outragée, d'avec la confusion qui naît d'une accusation méritée ?

LE COMTE, *souriant.* Et ce page en désordre, en veste et presque nu...

LA COMTESSE, *montrant Suzanne.* Vous le voyez devant 75 vous. N'aimez-vous pas mieux l'avoir trouvé que l'autre ? En général, vous ne haïssez pas de rencontrer celui-ci.

LE COMTE, *riant plus fort.* Et ces prières, ces larmes feintes...

LA COMTESSE. Vous me faites rire, et j'en ai peu d'envie.

LE COMTE. Nous croyons valoir quelque chose en poli- 80 tique, et nous ne sommes que des enfants. C'est vous, c'est vous, madame, que le roi devrait envoyer en ambassade à

---

1. **Chanteur :** dans les deux sens du terme, maître à chanter et maître chanteur.

Londres ! Il faut que votre sexe ait fait une étude bien réfléchie de l'art de se composer[1] pour réussir à ce point !

85 **LA COMTESSE.** C'est toujours vous qui nous y forcez.

SUZANNE. Laissez-nous prisonniers sur parole, et vous verrez si nous sommes gens d'honneur.

LA COMTESSE. Brisons là, monsieur le Comte. J'ai peut-être été trop loin ; mais mon indulgence en un cas aussi

90 grave doit au moins m'obtenir la vôtre.

LE COMTE. Mais vous répéterez que vous me pardonnez.

LA COMTESSE. Est-ce que je l'ai dit, Suzon ?

SUZANNE. Je ne l'ai pas entendu, Madame.

LE COMTE. Eh bien ! que ce mot vous échappe.

95 **LA COMTESSE.** Le méritez-vous, ingrat ?

LE COMTE. Oui, par mon repentir.

SUZANNE. Soupçonner un homme dans le cabinet de Madame !

LE COMTE. Elle m'en a si sévèrement puni !

100 **SUZANNE.** Ne pas s'en fier à elle, quand elle dit que c'est sa camariste !

LE COMTE. Rosine, êtes-vous donc implacable ?

LA COMTESSE. Ah Suzon ! que je suis faible ! quel exemple je te donne ! *(Tendant la main au comte.)* On ne croira plus

105 à la colère des femmes.

SUZANNE. Bon, Madame, avec eux ne faut-il pas toujours en venir là ? *(Le comte baise ardemment la main de sa femme.)*

---

1. **Se composer :** jouer un rôle qui n'est pas naturel.

Scène 20 Suzanne, Figaro, La Comtesse, Le Comte

FIGARO *arrivant tout essoufflé.* On disait Madame incommodée. Je suis vite accouru... je vois avec joie qu'il n'en est rien.

LE COMTE, *sèchement.* Vous êtes fort attentif.

FIGARO. Et c'est mon devoir. Mais puisqu'il n'en est rien, 5
Monseigneur, tous vos jeunes vassaux des deux sexes sont en bas avec les violons et les cornemuses, attendant, pour m'accompagner, l'instant où vous permettrez que je mène ma fiancée...

LE COMTE. Et qui surveillera la Comtesse au château ? 10

FIGARO. La veiller ! elle n'est pas malade.

LE COMTE. Non ; mais cet homme absent qui doit l'entretenir ?

FIGARO. Quel homme absent ?

LE COMTE. L'homme du billet que vous avez remis à 15 Bazile.

FIGARO. Qui dit cela ?

LE COMTE. Quand je ne le saurais pas d'ailleurs, fripon, ta physionomie qui t'accuse me prouverait déjà que tu mens.

FIGARO. S'il en est ainsi, ce n'est pas moi qui mens, c'est 20 ma physionomie.

SUZANNE. Va, mon pauvre Figaro, n'use pas ton éloquence en défaites[1] ; nous avons tout dit.

FIGARO. Et quoi dit ? Vous me traitez comme un Bazile !

25

---

1. **Défaites :** vaines tentatives.

SUZANNE. Que tu avais écrit le billet de tantôt pour faire accroire à Monseigneur, quand il entrerait, que le petit page était dans ce cabinet, où je me suis enfermée.

LE COMTE. Qu'as-tu à répondre ?

30 **LA COMTESSE.** Il n'y a plus rien à cacher, Figaro ; le badinage est consommé.

FIGARO, *cherchant à deviner.* Le badinage… est consommé ?

LE COMTE. Oui, consommé. Que dis-tu là-dessus ?

FIGARO. Moi ! je dis… que je voudrais bien qu'on en pût 35 dire autant de mon mariage ; et si vous l'ordonnez…

LE COMTE. Tu conviens donc enfin du billet ?

FIGARO. Puisque Madame le veut, que Suzanne le veut, que vous le voulez vous-même, il faut bien que je le veuille aussi : mais à votre place, en vérité, Monseigneur, 40 je ne croirais pas un mot de tout ce que nous vous disons.

LE COMTE. Toujours mentir contre l'évidence ! À la fin, cela m'irrite.

LA COMTESSE, *en riant.* Eh ! ce pauvre garçon ! pourquoi voulez-vous, monsieur, qu'il dise une fois la vérité ?

45 **FIGARO,** *bas à Suzanne.* Je l'avertis de son danger ; c'est tout ce qu'un honnête homme peut faire.

SUZANNE, *bas.* As-tu vu le petit page ?

FIGARO, *bas.* Encore tout froissé.

SUZANNE, *bas.* Ah ! pécaïre[2] !

50 **LA COMTESSE.** Allons, monsieur le Comte, ils brûlent de s'unir : leur impatience est naturelle ! Entrons pour la cérémonie.

LE COMTE, *à part.* Et Marceline, Marceline… *(Haut.)* Je voudrais être… au moins vêtu.

LA COMTESSE. Pour nos gens ! Est-ce que je le suis ?

---

2. **Pécaïre !** : pauvres de nous !

Scène 21 Figaro, Suzanne, La Comtesse, Le Comte, Antonio

ANTONIO, *demi-gris*[1], *tenant un pot de giroflées écrasées.* Monseigneur ! Monseigneur !

LE COMTE. Que me veux-tu, Antonio ?

ANTONIO. Faites donc une fois griller[2] les croisées qui donnent sur mes couches[3]. On jette toutes sortes de choses par ces fenêtres : et tout à l'heure encore on vient d'en jeter un homme.

LE COMTE. Par ces fenêtres ?

ANTONIO. Regardez comme on arrange mes giroflées !

SUZANNE, *bas à Figaro.* Alerte, Figaro, alerte !

FIGARO. Monseigneur, il est gris dès le matin.

ANTONIO. Vous n'y êtes pas. C'est un petit reste d'hier. Voilà comme on fait des jugements… ténébreux.

LE COMTE, *avec feu.* Cet homme ! cet homme ! où est-il ?

ANTONIO. Où il est ?

LE COMTE. Oui.

ANTONIO. C'est ce que je dis. Il faut me le trouver, déjà. Je suis votre domestique ; il n'y a que moi qui prends soin de votre jardin ; il y tombe un homme ; et vous sentez… que ma réputation en est effleurée.

SUZANNE, *bas à Figaro.* Détourne, détourne !

FIGARO. Tu boiras donc toujours ?

ANTONIO. Et si je ne buvais pas, je deviendrais enragé.

---

1. **Demi-gris :** à moitié ivre.
2. **Griller :** mettre une grille sur.
3. **Couches :** plates-bandes.

LA COMTESSE. Mais en prendre ainsi sans besoin…

25 **ANTONIO.** Boire sans soif et faire l'amour en tout temps, Madame, il n'y a que ça qui nous distingue des autres bêtes.

LE COMTE, *vivement.* Réponds-moi donc, ou je vais te chasser.

ANTONIO. Est-ce que je m'en irais ?

LE COMTE. Comment donc ?

30 **ANTONIO,** *se touchant le front.* Si vous n'avez pas assez de ça pour garder un bon domestique, je ne suis pas assez bête, moi, pour renvoyer un si bon maître.

LE COMTE *le secoue avec colère.* On a, dis-tu, jeté un homme par cette fenêtre ?

35 **ANTONIO.** Oui, mon Excellence ; tout à l'heure, en veste blanche, et qui s'est enfui, jarni[1], courant…

LE COMTE, *impatienté.* Après ?

ANTONIO. J'ai bien voulu courir après ; mais je me suis donné contre la grille une si fière gourde[2] à la main que je
40 ne peux plus remuer ni pied, ni patte, de ce doigt-là. *(Levant le doigt.)*

LE COMTE. Au moins, tu reconnaîtrais l'homme ?

ANTONIO. Oh ! que oui-da ! si je l'avais vu pourtant !

SUZANNE, *bas à Figaro.* Il ne l'a pas vu.

45 **FIGARO.** Voilà bien du train[3] pour un pot de fleurs ! combien te faut-il, pleurard, avec ta giroflée ? Il est inutile de chercher, Monseigneur, c'est moi qui ai sauté.

LE COMTE. Comment, c'est vous !

ANTONIO. « Combien te faut-il, pleurard ? » Votre corps a
50 donc bien grandi depuis ce temps-là ; car je vous ai trouvé beaucoup plus moindre, et plus fluet !

---

1. **Jarni :** juron, déformation de « je renie Dieu ».
2. **Gourde :** coup qui engourdit.
3. **Train :** tapage.

FIGARO. Certainement ; quand on saute, on se pelotonne...

ANTONIO. M'est avis que c'était plutôt... qui dirait, le gringalet de page.

LE COMTE. Chérubin, tu veux dire ?   55

FIGARO. Oui, revenu tout exprès avec son cheval, de la porte de Séville, où peut-être il est déjà.

ANTONIO. Oh ! non, je ne dis pas ça, je ne dis pas ça ; je n'ai pas vu sauter de cheval, car je le dirais de même.

LE COMTE. Quelle patience !   60

FIGARO. J'étais dans la chambre des femmes, en veste blanche : il fait un chaud !... J'attendais là ma Suzannette, quand j'ai ouï tout à coup la voix de Monseigneur et le grand bruit qui se faisait ! je ne sais quelle crainte m'a saisi à l'occasion de ce billet ; et, s'il faut avouer ma bêtise, j'ai   65 sauté sans réflexion sur les couches, où je me suis même un peu foulé le pied droit. *(Il frotte son pied.)*

ANTONIO. Puisque c'est vous, il est juste de vous rendre ce brimborion[1] de papier qui a coulé de votre veste, en tombant.   70

LE COMTE *se jette dessus.* Donne-le-moi. *(Il ouvre le papier et le referme.)*

FIGARO *à part.* Je suis pris.

LE COMTE, *à Figaro.* La frayeur ne vous aura pas fait oublier ce que contient ce papier, ni comment il se trou-   75 vait dans votre poche ?

FIGARO *embarrassé, fouille dans ses poches et en tire des papiers.* Non sûrement... Mais c'est que j'en ai tant. Il faut répondre à tout... *(Il regarde un des papiers.)* Ceci ? ah ! c'est une lettre de Marceline, en quatre pages ; elle est   80 belle !... Ne serait-ce pas la requête de ce pauvre bracon-

---

1. **Brimborion :** chose sans valeur.

nier en prison ?... Non, la voici... J'avais l'état des meubles du petit château dans l'autre poche... *(Le Comte rouvre le papier qu'il tient.)*

85 **LA COMTESSE,** *bas à Suzanne.* Ah ! dieux ! Suzon, c'est le brevet d'officier.

SUZANNE, *bas à Figaro.* Tout est perdu, c'est le brevet.

LE COMTE *replie le papier.* Eh bien ! l'homme aux expédients, vous ne devinez pas ?

90 **ANTONIO,** *s'approchant de Figaro*[1]. Monseigneur dit, si vous ne devinez pas ?

FIGARO *le repousse.* Fi donc, vilain[2], qui me parle dans le nez !

LE COMTE. Vous ne vous rappelez pas ce que ce peut être ?

FIGARO. A, a, a, ah ! *povero*[3] ! ce sera le brevet de ce mal-
95 heureux enfant, qu'il m'avait remis, et que j'ai oublié de lui rendre. O, o, o, oh ! étourdi que je suis ! que fera-t-il sans son brevet ? Il faut courir...

LE COMTE. Pourquoi vous l'aurait-il remis ?

FIGARO, *embarrassé.* Il... désirait qu'on y fît quelque
100 chose.

LE COMTE *regarde son papier.* Il n'y manque rien.

LA COMTESSE, *bas à Suzanne.* Le cachet.

SUZANNE, *bas à Figaro.* Le cachet manque.

LE COMTE, *à Figaro.* Vous ne répondez pas ?

105 **FIGARO.** C'est... qu'en effet, il y manque peu de chose. Il dit que c'est l'usage...

LE COMTE. L'usage ! l'usage ! l'usage de quoi ?

FIGARO. D'y apposer le sceau de vos armes. Peut-être aussi que cela ne valait pas la peine.

---

1. Antonio, Figaro, Suzanne, la Comtesse, le Comte. (Note de Beaumarchais.)
2. **Vilain :** paysan, rustre.
3. **Povero !** : le pauvre !, en italien.

LE COMTE *rouvre le papier et le chiffonne de colère.* Allons, 110
il est écrit que je ne saurai rien. *(À part.)* C'est ce Figaro
qui les mène, et je ne m'en vengerais pas ! *(Il veut sortir
avec dépit.)*

FIGARO, *l'arrêtant.* Vous sortez, sans ordonner mon
mariage ? 115

Scène 22 BAZILE, BARTHOLO, MARCELINE,
FIGARO, LE COMTE, GRIPPE-
SOLEIL, LA COMTESSE, SUZANNE,
ANTONIO ; valets du Comte,
ses vassaux

MARCELINE, *au Comte.* Ne l'ordonnez pas, Monseigneur !
Avant de lui faire grâce, vous nous devez justice. Il a des
engagements avec moi.

LE COMTE, *à part.* Voilà ma vengeance arrivée.

FIGARO. Des engagements ? De quelle nature ? Expliquez-vous. 5

MARCELINE. Oui, je m'expliquerai, malhonnête ! *(La
Comtesse s'assied sur une bergère. Suzanne est derrière elle.)*

LE COMTE. De quoi s'agit-il, Marceline ?

MARCELINE. D'une obligation de mariage.

FIGARO. Un billet, voilà tout, pour de l'argent prêté. 10

MARCELINE, *au Comte.* Sous condition de m'épouser. Vous
êtes un grand seigneur, le premier juge[1] de la province…

LE COMTE. Présentez-vous au tribunal, j'y rendrai justice
à tout le monde.

---

1. **Juge :** le comte exerce une fonction de justice seigneuriale. Pour les
causes mineures, il peut soit rendre justice lui-même, soit en confier la
tâche à un juge délégué. Les causes plus importantes sont du ressort
de la justice royale.

15 **BAZILE,** *montrant Marceline.* En ce cas, Votre Grandeur permet que je fasse aussi valoir mes droits sur Marceline ?

LE COMTE, *à part.* Ah, voilà mon fripon du billet.

FIGARO. Autre fou de la même espèce !

LE COMTE, *en colère à Bazile.* Vos droits ! vos droits ! Il
20 vous convient bien de parler devant moi, maître sot !

ANTONIO, *frappant dans sa main.* Il ne l'a, ma foi, pas manqué du premier coup : c'est son nom.

LE COMTE. Marceline, on suspendra tout jusqu'à l'examen de vos titres, qui se fera publiquement dans la grande
25 salle d'audience. Honnête Bazile, agent fidèle et sûr, allez au bourg chercher les gens du siège[1].

BAZILE. Pour son affaire ?

LE COMTE. Et vous m'amènerez le paysan du billet.

BAZILE. Est-ce que je le connais ?

30 **LE COMTE.** Vous résistez ?

BAZILE. Je ne suis pas entré au château pour en faire les commissions.

LE COMTE. Quoi donc ?

BAZILE. Homme à talent sur l'orgue du village, je montre
35 le clavecin à Madame, à chanter à ses femmes, la mandoline aux pages, et mon emploi surtout est d'amuser votre compagnie avec ma guitare, quand il vous plaît de l'ordonner.

GRIPPE-SOLEIL *s'avance.* J'irai bien, Monsigneu, si cela vous plaira.

40 **LE COMTE.** Quel est ton nom, et ton emploi ?

GRIPPE-SOLEIL. Je suis Grippe-Soleil, mon bon signeu ; le petit patouriau des chèvres, commandé pour le feu

---

1. **Gens du siège :** magistrats et officiers nommés par le corrégidor, Brid'oison, Double-Main et l'huissier, qui rendent la justice assis.

d'artifice. C'est fête aujourd'hui dans le troupiau ; et je sais oùs-ce-qu'est toute l'enragée boutique à procès du pays.

LE COMTE. Ton zèle me plaît ; vas-y : mais vous *(à Bazile)* 45 accompagnez monsieur en jouant de la guitare, et chantant pour l'amuser en chemin. Il est de ma compagnie.

GRIPPE-SOLEIL, *joyeux.* Oh ! moi, je suis de la ?... *(Suzanne l'apaise de la main, en lui montrant la Comtesse.)*

BAZILE, *surpris.* Que j'accompagne Grippe-Soleil en jouant ?... 50

LE COMTE. C'est votre emploi. Partez, ou je vous chasse. *(Il sort.)*

Scène 23 LES ACTEURS PRÉCÉDENTS, *excepté* LE COMTE

BAZILE, *à lui-même.* Ah ! je n'irai pas lutter contre le pot de fer, moi qui ne suis...

FIGARO. Qu'une cruche.

BAZILE, *à part.* Au lieu d'aider à leur mariage, je m'en vais assurer le mien avec Marceline. *(À Figaro.)* Ne conclus 5 rien, crois-moi, que je ne sois de retour. *(Il va prendre la guitare sur le fauteuil du fond.)*

FIGARO *le suit.* Conclure ! oh ! va, ne crains rien, quand même tu ne reviendrais jamais... Tu n'as pas l'air en train de chanter, veux-tu que je commence ?... Allons, gai ! haut, 10 la-mi-la, pour ma fiancée. *(Il se met en marche à reculons, danse en chantant la séguedille[1] suivante, Bazile accompagne, et tout le monde le suit.)*

---

1. **Séguedille :** air de danse populaire espagnole.

Séguedille : *Air noté.*

15   *Je préfère à richesse,*
       La sagesse
       De ma Suzon,
       Zon, zon, zon,
       Zon, zon, zon,
20   *Zon, zon, zon,*
       Zon, zon, zon.

       Aussi sa gentillesse
       Est maîtresse
       De ma raison,
25   *Zon, zon, zon,*
       Zon, zon, zon,
       Zon, zon, zon,
       Zon, zon, zon.

(Le bruit s'éloigne, on n'entend pas le reste.)

Scène 24 Suzanne, La Comtesse

La Comtesse, *dans sa bergère.* Vous voyez, Suzanne, la jolie scène que votre étourdi m'a value avec son billet.

Suzanne. Ah ! Madame, quand je suis rentrée du cabinet, si vous aviez vu votre visage ! il s'est terni tout à coup :
5 mais ce n'a été qu'un nuage ; et par degrés vous êtes devenue rouge, rouge, rouge !

La Comtesse. Il a donc sauté par la fenêtre ?

Suzanne. Sans hésiter, le charmant enfant ! Léger... comme une abeille !

10 **La Comtesse.** Ah ! ce fatal jardinier ! Tout cela m'a remuée au point... que je ne pouvais rassembler deux idées.

Suzanne. Ah ! Madame, au contraire ; et c'est là que j'ai vu combien l'usage du grand monde donne d'aisance aux dames comme il faut, pour mentir sans qu'il y paraisse.

LA COMTESSE. Crois-tu que le Comte en soit la dupe ? Et s'il trouvait cet enfant au château ! [15]

SUZANNE. Je vais recommander de le cacher si bien…

LA COMTESSE. Il faut qu'il parte. Après ce qui vient d'arriver, vous croyez bien que je ne suis pas tentée de l'envoyer au jardin à votre place. [20]

SUZANNE. Il est certain que je n'irai pas non plus. Voilà donc mon mariage encore une fois…

LA COMTESSE *se lève.* Attends… Au lieu d'un autre, ou de toi, si j'y allais moi-même ?

SUZANNE. Vous, Madame ? [25]

LA COMTESSE. Il n'y aurait personne d'exposé… Le Comte alors ne pourrait nier… Avoir puni sa jalousie, et lui prouver son infidélité ! cela serait… Allons : le bonheur d'un premier hasard m'enhardit à tenter le second. Fais-lui savoir promptement que tu te rendras au jardin. Mais surtout que personne… [30]

SUZANNE. Ah ! Figaro.

LA COMTESSE. Non, non. Il voudrait mettre ici du sien… Mon masque de velours et ma canne ; que j'aille y rêver sur la terrasse. *(Suzanne entre dans le cabinet de toilette.)* [35]

Scène 25   LA COMTESSE, *seule*

Il est assez effronté, mon petit projet ! *(Elle se retourne.)* Ah ! le ruban ! mon joli ruban ! je t'oubliais ! *(Elle le prend sur sa bergère et le roule.)* Tu ne me quitteras plus… tu me rappelleras la scène où ce malheureux enfant… Ah ! monsieur le Comte, qu'avez-vous fait ?… Et moi, que fais-je en ce moment ? [5]

Scène 26

<small>LA COMTESSE, SUZANNE</small>
*(La Comtesse met furtivement
le ruban dans son sein.)*

SUZANNE. Voici la canne et votre loup[1].

LA COMTESSE. Souviens-toi que je t'ai défendu d'en dire
un mot à Figaro.

SUZANNE, *avec joie* : Madame, il est charmant votre
5 projet ! Je viens d'y réfléchir. Il rapproche tout, termine
tout, embrasse tout ; et, quelque chose qui arrive[2], mon
mariage est maintenant certain. *(Elle baise la main de sa
maîtresse. Elles sortent.)*

Pendant l'entracte, des valets arrangent la salle d'audience :
10 *on apporte les deux banquettes à dossier des avocats, que*
l'on place aux deux côtés du théâtre, de façon que le passage
soit libre par-derrière. On pose une estrade à deux marches
dans le milieu du théâtre, vers le fond, sur laquelle on place
le fauteuil du Comte. On met la table du greffier et son
15 *tabouret de côté sur le devant, et des sièges pour Brid'oison*
et d'autres juges, des deux côtés de l'estrade du Comte.

---

1. **Loup :** demi-masque de velours ou de satin, qui ne cache que les
yeux.
2. **Quelque chose qui arrive :** quoi qu'il arrive.

Clefs d'analyse

Acte II.

Compréhension

L'action

- Repérer les grandes étapes de l'acte.

Des personnages dans la tourmente

- Observer l'expression des sentiments chez la Comtesse : tristesse d'épouse délaissée (II, 1) ; trouble amoureux (II, 3 à 9) ; confusion, inquiétude (II, 10-16 ; 18) ; désespoir puis apaisement (II, 19) ; sentiments mêlés (II, 25).
- Observer les changements d'humeur du Comte : colère grandissante (II, 10-16), confusion, perplexité, honte (II, 19) ; irritation et colère montante (II, 20-21), assurance retrouvée (II, 22).

Des scènes de farce

- Relever les éléments farcesques (langage, situation) des interventions d'Antonio, de Bazile et de Grippe-Soleil (II, 21-23).

Réflexion

L'efficacité dramatique

- Analyser l'importance des différents espaces : la chambre de la Comtesse ; l'extérieur ; les lieux intermédiaires.
- Analyser l'importance des accessoires : fauteuil, ruban, éventail, clés, guitare, déguisements.
- Expliquer en quoi la complexité des personnages du Comte et de la Comtesse contribue à l'intensité poétique et dramatique de l'acte.

À retenir :

L'acte II permet à la fois, comme il est de règle dans le théâtre classique, de déployer les projets des personnages principaux et d'approfondir la présentation de ces personnages. Mais on pourra remarquer que cet acte va déjà très vite (dans l'accumulation dramatique des péripéties) et très loin (dans l'étude de la complexité psychologique), tout en fournissant matière à de nombreux rebondissements futurs.

Synthèse

Le drame de la jalousie

Personnages

Le jeu dangereux de l'amour et du hasard

Cet acte exploite avec virtuosité le thème traditionnel de la jalousie. Plutôt que de faire du Comte un paranoïaque ridicule, Beaumarchais justifie sa jalousie par une confrontation équivoque et émouvante entre la Comtesse et Chérubin (II, 4-9). Et plutôt que de faire de la Comtesse une épouse irréprochable, il la montre luttant contre un trouble grandissant, puis se laissant envahir par la vision pour ainsi dire hypnotique de Chérubin « sans manteau, le col et les bras nus [...] cet air de désordre », dont l'aveu réitéré au page (II, 10), puis au Comte (II, 16), signe la perte de contrôle et l'intense sentiment de culpabilité. Trouble qui obsède à son tour le Comte (II, 19). Ainsi la colère et la violence, puis la stupéfaction et l'humiliation du Comte n'ont-elles rien du grotesque de la *commedia dell'arte*. Mais la comédie reprend vite le dessus : la Comtesse et Suzanne, ayant recouvré leur sang froid, sauvent Figaro d'une situation délicate, puis celui-ci parvient à déjouer les soupçons d'un Antonio désopilant. De sorte que les réclamations pourtant inquiétantes de Marceline et Bazile n'arrêtent nullement la Comtesse : enhardie par le succès de son premier « coup », elle en prévoit déjà un autre : duper à nouveau, mais cette fois volontairement, son mari en prenant la place de Suzanne sous les marronniers, ce qui enchante cette dernière. À croire que Figaro (II, 21) puis les deux femmes (II, 24-25) imitent un Beaumarchais satisfait de la péripétie qu'il vient d'inventer et s'apprêtant à en mettre une autre en œuvre !

Langage

Un langage pathétique... et d'un comique insolent

Distraction, propos incohérents, hésitations, répétitions, exclamations et interrogations inquiètes : le langage de la Comtesse trahit son désordre intérieur. Chérubin lui aussi balbutie et frémit (LA COMTESSE *la déplie*. De qui... dit-on qu'elle est ?...[...] CHÉRUBIN. Est-ce qu'il est défendu... de chérir ?... LA COMTESSE. La... chante-t-il ? CHÉRUBIN. Oh : madame, je suis si tremblant !... »). Des didascalies suggèrent elles aussi la vive émotion (« *hésitant* », « *coupant la phrase* », « *pénétré* », « *émue* », 9). Le Comte passe du ton ferme et impérieux à l'emportement (« Levez-vous, ôtez-vous. Tu es bien audacieuse d'oser me parler pour un autre ! », 16), puis à l'humilité (« Pardon, je suis d'une confusion. »). Mais l'humour émaille cet acte d'une « incorrigible » gaieté. Devant la Comtesse, Suzanne et Figaro évoquent avec insouciance les vues du Comte sur sa servante, Suzanne taquine Chérubin, Figaro fait des plaisanteries douteuses sur les élans libertins du Comte (« Il est déjà tout dérouté : galopera-t-il celle-ci ? surveillera-t-il celle-là ? Dans son trouble d'esprit, tenez, tenez, le voilà qui court la plaine, et force un lièvre qui n'en peut mais », 2), Suzanne se moque du Comte quand celui-ci la découvre dans le cabinet. Tantôt ce sont des répliques équivoques (« Je vais me retirer aux Ursulines », 19), tantôt involontairement drôles ou maladroites (« LA COMTESSE. [...] N'en croyez pas un injuste soupçon, de grâce ! et que le désordre où vous l'allez trouver.../ LE COMTE. Du désordre ! », 19). C'est le registre comique qui l'emporte à la fin de l'acte, avec deux scènes de farce (II, 21 et 23) et la joie complice des deux femmes (II, 24-26), malgré l'apparition menaçante de Marceline.

Société

L'école des hommes

Comme toute bonne comédie, *Le Mariage de Figaro* entend instruire par le rire et faire aux hommes la leçon. Leçon sociale, puisqu'elle dénonce la sujétion féminine, leçon psychologique, en montrant aux hommes l'incomparable ingéniosité féminine.

ACTE III

Scène 1  Le Comte, Pédrille, *en veste, botté, tenant un paquet cacheté*

Le théâtre représente une salle du château appelée salle du trône et servant de salle d'audience, ayant sur le côté une impériale en dais[1], et dessous, le portrait du roi.

LE COMTE, *vite.* M'as-tu bien entendu ?

5 **PÉDRILLE.** Excellence, oui. *(Il sort.)*

Scène 2 Le Comte, *seul, criant*

Pédrille !

---

1. **Impériale en dais :** étoffe déployée au-dessus du trône où siège le juge.

Scène 3   LE COMTE, PÉDRILLE *revient*

PÉDRILLE. Excellence ?

LE COMTE. On ne t'a pas vu ?

PÉDRILLE. Âme qui vive[1].

LE COMTE. Prenez le cheval barbe[2].

PÉDRILLE. Il est à la grille du potager, tout sellé.

LE COMTE. Ferme, d'un trait, jusqu'à Séville.

PÉDRILLE. Il n'y a que trois lieues, elles sont bonnes[3].

LE COMTE. En descendant, sachez si le page est arrivé.

PÉDRILLE. Dans l'hôtel ?

LE COMTE. Oui ; surtout depuis quel temps[4].

PÉDRILLE. J'entends.

LE COMTE. Remets-lui son brevet, et reviens vite.

PÉDRILLE. Et s'il n'y était pas ?

LE COMTE. Revenez plus vite, et m'en rendez compte. Allez.

5

10

15

---

1. **Âme qui vive :** non, personne ne m'a vu.
2. **Barbe :** oriental.
3. **Bonnes :** faciles.
4. **Depuis quel temps :** depuis combien de temps.

Scène 4 LE COMTE, *seul, marche en rêvant*

J'ai fait une gaucherie[1] en éloignant Bazile !... la colère n'est bonne à rien. – Ce billet remis par lui, qui m'avertit d'une entreprise sur la Comtesse ; la camariste enfermée quand j'arrive ; la maîtresse affectée d'une terreur fausse
5 ou vraie ; un homme qui saute par la fenêtre, et l'autre après qui avoue... ou qui prétend que c'est lui... Le fil m'échappe. Il y a là-dedans une obscurité... Des libertés chez mes vassaux, qu'importe à gens de cette étoffe[2] ? Mais la Comtesse ! si quelque insolent attentait... où
10 m'égaré-je ? En vérité, quand la tête se monte, l'imagination la mieux réglée devient folle comme un rêve ! – Elle s'amusait : ces ris étouffés, cette joie mal éteinte ! – Elle se respecte ; et mon honneur... où diable on l'a placé ! De l'autre part, où suis-je ? cette friponne de Suzanne a-t-elle
15 trahi mon secret ?... comme il n'est pas encore le sien... Qui donc m'enchaîne à cette fantaisie ? j'ai voulu vingt fois y renoncer... Étrange effet de l'irrésolution ! si je la voulais sans débat, je la désirerais mille fois moins. – Ce Figaro se fait bien attendre ! il faut le sonder adroitement,
20 *(Figaro paraît dans le fond, il s'arrête)* et tâcher, dans la conversation que je vais avoir avec lui, de démêler d'une manière détournée s'il est instruit ou non de mon amour pour Suzanne.

---

1. **Gaucherie :** maladresse.
2. **Étoffe :** condition.

Scène 5 Le Comte, Figaro

FIGARO, *à part.* Nous y voilà.

LE COMTE. … S'il en sait par elle un seul mot…

FIGARO, *à part.* Je m'en suis douté.

LE COMTE. … Je lui fais épouser la vieille.

FIGARO, *à part.* Les amours de monsieur Bazile ?   5

LE COMTE. … Et voyons ce que nous ferons de la jeune.

FIGARO, *à part.* Ah ! ma femme, s'il vous plaît.

LE COMTE *se retourne.* Hein ? quoi ? qu'est-ce que c'est ?

FIGARO *s'avance.* Moi, qui me rends à vos ordres.

LE COMTE. Et pourquoi ces mots ?…   10

FIGARO. Je n'ai rien dit.

LE COMTE *répète.* « Ma femme, s'il vous plaît ? »

FIGARO. C'est… la fin d'une réponse que je faisais : « Allez le dire à ma femme, s'il vous plaît. »

LE COMTE *se promène.* « Sa femme !… » Je voudrais bien   15
savoir quelle affaire peut arrêter monsieur, quand je le fais appeler ?

FIGARO, *feignant d'assurer son habillement.* Je m'étais sali sur ces couches en tombant ; je me changeais.

LE COMTE. Faut-il une heure ?   20

FIGARO. Il faut le temps.

LE COMTE. Les domestiques ici… sont plus longs à s'habiller que les maîtres !

FIGARO. C'est qu'ils n'ont point de valets pour les y aider.

LE COMTE. … Je n'ai pas trop compris ce qui vous avait   25
forcé tantôt de courir un danger inutile, en vous jetant…

147

FIGARO. Un danger ! on dirait que je me suis engouffré tout vivant…

LE COMTE. Essayez de me donner le change en feignant
30 de le prendre[1], insidieux valet ! vous entendez fort bien que ce n'est pas le danger qui m'inquiète, mais le motif.

FIGARO. Sur un faux avis, vous arrivez furieux, renversant tout, comme le torrent de la Morena[2] ; vous cherchez un homme, il vous le faut, ou vous allez briser les portes,
35 enfoncer les cloisons ! Je me trouve là par hasard : qui sait dans votre emportement si…

LE COMTE, *interrompant.* Vous pouviez fuir par l'escalier.

FIGARO. Et vous, me prendre au corridor.

LE COMTE *en colère.* Au corridor ! *(À part.)* Je m'emporte,
40 et nuis à ce que je veux savoir.

FIGARO, *à part.* Voyons-le venir, et jouons serré.

LE COMTE, *radouci.* Ce n'est pas ce que je voulais dire, laissons cela. J'avais… oui, j'avais quelque envie de t'emmener à Londres courrier de dépêches… mais toutes
45 réflexions faites…

FIGARO. Monseigneur a changé d'avis ?

LE COMTE. Premièrement, tu ne sais pas l'anglais.

FIGARO. Je sais *God-dam*[3].

LE COMTE. Je n'entends pas.

50 **FIGARO.** Je dis que je sais *God-dam*.

LE COMTE. Hé bien ?

FIGARO. Diable ! c'est une belle langue que l'anglais ! il en faut peu pour aller loin. Avec *God-dam*, en Angleterre, on

---

1. **Me donner le change en feignant de le prendre :** me tromper en faisant comme si c'était vous qui vous trompiez.
2. **Torrent de la Morena :** torrent tumultueux de la sierra Morena, montagne au nord-ouest de Séville.
3. ***God-dam :*** juron anglais signifiant « Que Dieu me damne ».

ne manque de rien nulle part. – Voulez-vous tâter d'un bon poulet gras : entrez dans une taverne, et faites seule- 55 ment ce geste au garçon. *(Il tourne la broche.) God-dam !* on vous apporte un pied de bœuf salé, sans pain. C'est admirable. Aimez-vous à boire un coup d'excellent bourgogne ou de clairet[1] : rien que celui-ci. *(Il débouche une bouteille.) God-dam !* on vous sert un pot de bière, en bel 60 étain, la mousse aux bords. Quelle satisfaction ! Rencontrez-vous une de ces jolies personnes qui vont trottant menu, les yeux baissés, coudes en arrière, et tortillant un peu des hanches : mettez mignardement tous les doigts unis sur la bouche. Ah ! *God-dam !* elle vous 65 sangle[2] un soufflet de crocheteur[3] : preuve qu'elle entend. Les Anglais, à la vérité, ajoutent par-ci, par-là, quelques autres mots en conversant ; mais il est bien aisé de voir que *God-dam* est le fond de la langue ; et si Monseigneur n'a pas d'autre motif de me laisser en Espagne… 70

LE COMTE, *à part.* Il veut venir à Londres ; elle n'a pas parlé.

FIGARO, *à part.* Il croit que je ne sais rien ; travaillons-le un peu dans son genre.

LE COMTE. Quel motif avait la Comtesse, pour me jouer 75 un pareil tour ?

FIGARO. Ma foi, Monseigneur, vous le savez mieux que moi.

LE COMTE. Je la préviens sur tout[4], et la comble de présents.

FIGARO. Vous lui donnez, mais vous êtes infidèle. Sait-on gré du superflu à qui nous prive du nécessaire ? 80

LE COMTE. … Autrefois tu me disais tout.

FIGARO. Et maintenant je ne vous cache rien.

---

1. **Clairet :** vin de Bordeaux.
2. **Sangle :** fouette avec une sangle.
3. **Crocheteur :** les portefaix utilisaient des crochets pour porter les fardeaux.
4. **Je la préviens sur tout :** je devance toutes ses demandes, tous ses désirs.

LE COMTE. Combien la Comtesse t'a-t-elle donné pour cette belle association ?

85 **FIGARO.** Combien me donnâtes-vous pour la tirer des mains du docteur[8] ? Tenez, Monseigneur, n'humilions pas l'homme qui nous sert bien, crainte d'en faire un mauvais valet.

LE COMTE. Pourquoi faut-il qu'il y ait toujours du louche en ce que tu fais ?

90 **FIGARO.** C'est qu'on en voit partout quand on cherche des torts.

LE COMTE. Une réputation détestable !

FIGARO. Et si je vaux mieux qu'elle ? Y a-t-il beaucoup de seigneurs qui puissent en dire autant ?

95 **LE COMTE.** Cent fois je t'ai vu marcher à la fortune, et jamais aller droit.

FIGARO. Comment voulez-vous ? La foule est là : chacun veut courir : on se presse, on pousse, on coudoie, on renverse, arrive qui peut ; le reste est écrasé. Aussi c'est fait ;
100 pour moi, j'y renonce.

LE COMTE. À la fortune ? *(À part.)* Voici du neuf.

FIGARO *à part*. À mon tour maintenant. *(Haut.)* Votre Excellence m'a gratifié de la conciergerie du château ; c'est un fort joli sort : à la vérité je ne serai pas le courrier
105 étrenné[9] des nouvelles intéressantes ; mais, en revanche, heureux avec ma femme au fond de l'Andalousie...

LE COMTE. Qui t'empêcherait de l'emmener à Londres ?

FIGARO. Il faudrait la quitter si souvent, que j'aurais bientôt du mariage par-dessus la tête.

110 **LE COMTE.** Avec du caractère et de l'esprit, tu pourrais un jour t'avancer dans les bureaux.

---

1. **Docteur :** Bartholo. Voir *Le Barbier de Séville.*
2. **Étrenné :** premier informé.

FIGARO. De l'esprit pour s'avancer ? Monseigneur se rit du mien. Médiocre et rampant, et l'on arrive à tout.

LE COMTE. ... Il ne faudrait qu'étudier un peu sous moi la politique. 115

FIGARO. Je la sais.

LE COMTE. Comme l'anglais, le fond de la langue !

FIGARO. Oui, s'il y avait de quoi se vanter. Mais, feindre d'ignorer ce qu'on sait, de savoir tout ce qu'on ignore ; 120 d'entendre ce qu'on ne comprend pas, de ne point ouïr ce qu'on entend ; surtout de pouvoir au-delà de ses forces ; avoir souvent pour grand secret de cacher qu'il n'y en a point ; s'enfermer pour tailler des plumes, et paraître profond quand on n'est, comme on dit, que vide et creux ; 125 jouer bien ou mal un personnage ; répandre des espions et pensionner des traîtres ; amollir des cachets[1], intercepter des lettres, et tâcher d'ennoblir la pauvreté des moyens par l'importance des objets : voilà toute la politique, ou je meure[2] ! 130

LE COMTE. Eh ! c'est l'intrigue que tu définis !

FIGARO. La politique, l'intrigue, volontiers ; mais, comme je les crois un peu germaines[3], en fasse qui voudra ! « J'aime mieux ma mie, ô gué ! » comme dit la chanson du bon Roi[4].

LE COMTE, *à part.* Il veut rester. J'entends... Suzanne m'a 135 trahi.

FIGARO, *à part.* Je l'enfile[5], et le paye en sa monnaie.

---

1. **Amollir des cachets :** faire fondre la cire des cachets qui scellaient les lettres, pour pouvoir les ouvrir et les lire.
2. **Ou je meure :** le verbe est au subjonctif, pour signifier « ou si ce n'est pas le cas, je veux bien mourir ».
3. **Germaines :** sœurs.
4. Citation de la chanson d'Alceste, dans *Le Misanthrope* de Molière (1666).
5. **Je l'enfile :** Je mets mon adversaire dans l'impossibilité de jouer (au tric-trac).

Le Comte. Ainsi tu espères gagner ton procès contre
Marceline ?

Figaro. Me feriez-vous un crime de refuser une vieille
fille, quand Votre Excellence se permet de nous souffler
toutes les jeunes ?

Le Comte, *raillant.* Au tribunal, le magistrat s'oublie, et
ne voit plus que l'ordonnance.

Figaro. Indulgente aux grands, dure aux petits…

Le Comte. Crois-tu donc que je plaisante ?

Figaro. Eh ! qui le sait, Monseigneur ? *Tempo è
galant'uomo*[1], dit l'italien ; il dit toujours la vérité : c'est lui
qui m'apprendra qui me veut du mal, ou du bien.

Le Comte, *à part.* Je vois qu'on lui a tout dit ; il épousera
la duègne.

Figaro, *à part.* Il a joué au fin avec moi, qu'a-t-il appris ?

Scène 6 Le Comte, Un laquais, Figaro

Le laquais *annonçant.* Don Gusman Brid'oison.

Le Comte. Brid'oison ?

Figaro. Eh ! sans doute. C'est le juge ordinaire, le lieutenant du siège, votre prud'homme[2].

Le Comte. Qu'il attende. *(Le laquais sort.)*

---

1. *Tempo è galant' uomo* : le temps est galant homme.
2. **Prud'homme :** homme de loi chargé de rendre la justice en cas d'absence
   du comte, et de le conseiller quand il siège lui-même.

Scène 7 LE COMTE, FIGARO

FIGARO *reste un moment à regarder le Comte qui rêve.* ... Est-ce là ce que Monseigneur voulait ?

LE COMTE, *revenant à lui.* Moi ?... Je disais d'arranger ce salon pour l'audience publique.

FIGARO. Hé ! qu'est-ce qu'il manque ? Le grand fauteuil 5 pour vous, de bonnes chaises aux prud'hommes, le tabouret du greffier, deux banquettes aux avocats, le plancher pour le beau monde et la canaille derrière. Je vais renvoyer les frotteurs[1]. *(Il sort.)*

Scène 8 LE COMTE, *seul*

Le maraud m'embarrassait ! en disputant, il prend son avantage ; il vous serre, vous enveloppe... Ah ! friponne et fripon, vous vous entendez pour me jouer ! Soyez amis, soyez amants, soyez ce qu'il vous plaira, j'y consens ; mais parbleu, pour époux... 5

---

1. **Frotteurs :** valets chargés de nettoyer le parquet.

Scène 9 Suzanne, Le Comte.

SUZANNE, *essoufflée.* Monseigneur… pardon, Monseigneur.

LE COMTE, *avec humeur.* Qu'est-ce qu'il y a, mademoiselle ?

SUZANNE. Vous êtes en colère ?

LE COMTE. Vous voulez quelque chose apparemment ?

5 **SUZANNE**, *timidement.* C'est que ma maîtresse a ses vapeurs[1]. J'accourais vous prier de nous prêter votre flacon d'éther. Je l'aurais rapporté dans l'instant.

LE COMTE *le lui donne.* Non, non, gardez-le pour vous-même. Il ne tardera pas à vous être utile.

10 **SUZANNE.** Est-ce que les femmes de mon état ont des vapeurs, donc ? c'est un mal de condition[2], qu'on ne prend que dans les boudoirs.

LE COMTE. Une fiancée bien éprise, et qui perd son futur…

15 **SUZANNE.** En payant Marceline avec la dot que vous m'avez promise…

LE COMTE. Que je vous ai promise, moi ?

SUZANNE, *baissant les yeux.* Monseigneur, j'avais cru l'entendre.

20 **LE COMTE.** Oui, si vous consentiez à m'entendre vous-même.

SUZANNE, *les yeux baissés.* Et n'est-ce pas mon devoir d'écouter Son Excellence ?

---

1. **Vapeurs :** spasmes ou convulsions, souvent accompagnés d'évanouissement ou de bouffées de chaleur.
2. **Condition :** condition élevée.

LE COMTE. Pourquoi donc, cruelle fille, ne me l'avoir pas dit plus tôt ?   25

SUZANNE. Est-il jamais trop tard pour dire la vérité ?

LE COMTE. Tu te rendrais sur la brune au jardin ?

SUZANNE. Est-ce que je ne m'y promène pas tous les soirs ?

LE COMTE. Tu m'as traité ce matin si durement !

SUZANNE. Ce matin ? – Et le page derrière le fauteuil ?   30

LE COMTE. Elle a raison, je l'oubliais… Mais pourquoi ce refus obstiné quand Bazile, de ma part ?…

SUZANNE. Quelle nécessité qu'un Bazile… ?

LE COMTE. Elle a toujours raison. Cependant il y a un certain Figaro à qui je crains bien que vous n'ayez tout dit !   35

SUZANNE. Dame ! oui, je lui dis tout… hors ce qu'il faut lui taire.

LE COMTE, *en riant.* Ah ! charmante ! Et tu me le promets ? Si tu manquais à ta parole, entendons-nous, mon cœur : point de rendez-vous, point de dot, point de mariage.   40

SUZANNE, *faisant la révérence.* Mais aussi point de mariage, point de droit du seigneur, Monseigneur.

LE COMTE. Où prend-elle ce qu'elle dit ? d'honneur j'en raffolerai ! Mais ta maîtresse attend le flacon…

SUZANNE, *riant et rendant le flacon.* Aurais-je pu vous   45 parler sans un prétexte ?

LE COMTE *veut l'embrasser.* Délicieuse créature !

SUZANNE *s'échappe.* Voilà du monde.

LE COMTE, *à part.* Elle est à moi. *(Il s'enfuit.)*

SUZANNE. Allons vite rendre compte à Madame.   50

Scène 10 Suzanne, Figaro

FIGARO. Suzanne, Suzanne ! où cours-tu donc si vite en quittant Monseigneur ?

SUZANNE. Plaide à présent, si tu le veux ; tu viens de gagner ton procès. *(Elle s'enfuit.)*

5 **FIGARO** *la suit.* Ah ! mais, dis donc…

Scène 11 Le Comte *rentre seul*

« Tu viens de gagner ton procès ! » – Je donnais là dans un bon piège ! Ô mes chers insolents ! je vous punirai de façon… Un bon arrêt… bien juste… Mais s'il allait payer la duègne… Avec quoi ?… S'il payait… Eeeeh ! n'ai-je pas le
5 fier Antonio, dont le noble orgueil dédaigne en Figaro un inconnu[1] pour sa nièce ? En caressant cette manie… Pourquoi non ? dans le vaste champ de l'intrigue il faut savoir tout cultiver, jusqu'à la vanité d'un sot. *(Il appelle.)* Anto… *(Il voit entrer Marceline, etc. Il sort.)*

---

1. **Inconnu :** homme né de parents inconnus.

Scène 12 Bartholo, Marceline, Brid'oison

MARCELINE, *à Brid'oison.* Monsieur, écoutez mon affaire.

BRID'OISON, *en robe, et bégayant un peu.* Eh bien ! pa-arlons-en verbalement.

BARTHOLO. C'est une promesse de mariage.

MARCELINE. Accompagnée d'un prêt d'argent.   5

BRID'OISON. J'en-entends, et cætera, le reste.

MARCELINE. Non, monsieur, point d'« et cætera ».

BRID'OISON. J'en-entends : vous avez la somme ?

MARCELINE. Non, monsieur ; c'est moi qui l'ai prêtée.

BRID'OISON. J'en-entends bien, vous-ous redemandez l'argent ?   10

MARCELINE. Non, monsieur ; je demande qu'il m'épouse.

BRID'OISON. Eh ! mais, j'en-entends fort bien ; et lui, veu-eut-il vous épouser ?

MARCELINE. Non, monsieur ; voilà tout le procès !

BRID'OISON. Croyez-vous que je ne l'en-entende pas, le   15
procès ?

MARCELINE. Non, monsieur. *(À Bartholo.)* Où sommes-nous ? *(À Brid'oison.)* Quoi ! c'est vous qui nous jugerez ?

BRID'OISON. Est-ce que j'ai a-acheté ma charge pour autre chose ?   20

MARCELINE, *en soupirant.* C'est un grand abus que de les vendre[1] !

BRID'OISON. Oui ; l'on-on ferait mieux de nous les donner pour rien. Contre qui plai-aidez-vous ?

---

1. **Les vendre :** sous l'Ancien Régime, les charges (ou postes), qui n'étaient accessibles qu'à condition d'être achetées à l'État, constituaient une source de revenu considérable.

Scène 13 Bartholo, Marceline, Brid'oison ; Figaro *rentre en se frottant les mains*

MARCELINE, *montrant Figaro.* Monsieur, contre ce malhonnête homme.

FIGARO, *très gaiement, à Marceline.* Je vous gêne peut-être. – Monseigneur revient dans l'instant, monsieur le conseiller.

5 **BRID'OISON.** J'ai vu ce ga-arçon-là quelque part.

FIGARO. Chez madame votre femme, à Séville, pour la servir, monsieur le conseiller.

BRID'OISON. Dan-ans quel temps ?

FIGARO. Un peu moins d'un an avant la naissance de
10 monsieur votre fils le cadet, qui est un bien joli enfant, je m'en vante.

BRID'OISON. Oui, c'est le plus jo-oli de tous. On dit que tu-u fais ici des tiennes ?

FIGARO. Monsieur est bien bon. Ce n'est là qu'une misère.

15 **BRID'OISON.** Une promesse de mariage ! A-ah ! le pauvre benêt !

FIGARO. Monsieur…

BRID'OISON. A-t-il vu mon-on secrétaire, ce bon garçon ?

FIGARO. N'est-ce pas Double-Main, le greffier ?

20 **BRID'OISON.** Oui, c'est qu'il mange à deux râteliers.

FIGARO. Manger ! je suis garant qu'il dévore. Oh ! que oui, je l'ai vu pour l'extrait et pour le supplément d'extrait ; comme cela se pratique, au reste.

BRID'OISON. On-on doit remplir les formes[1].

---

1. **Remplir les formes :** suivre les procédures juridiques d'usage.

FIGARO. Assurément, monsieur : si le fond des procès appartient aux plaideurs, on sait bien que la forme est le patrimoine des tribunaux. 25

BRID'OISON. Ce garçon-là n'è-est pas si niais que je l'avais cru d'abord. Hé bien, l'ami, puisque tu en sais tant, nou-ous aurons soin de ton affaire. 30

FIGARO. Monsieur, je m'en rapporte à votre équité, quoique vous soyez de notre Justice.

BRID'OISON. Hein ?... Oui, je suis de la-a Justice. Mais si tu dois, et que tu-u ne payes pas ?...

FIGARO. Alors monsieur voit bien que c'est comme si je ne devais pas. 35

BRID'OISON. San-ans doute. – Hé ! mais qu'est-ce donc qu'il dit ?

Scène 14   BARTHOLO, MARCELINE, LE COMTE, BRID'OISON, FIGARO, UN HUISSIER

L'HUISSIER, *précédant le Comte, crie.* Monseigneur, messieurs.

LE COMTE. En robe ici, seigneur Brid'oison ! Ce n'est qu'une affaire domestique[1] : l'habit de ville était trop bon.

BRID'OISON. C'è-est vous qui l'êtes, monsieur le Comte. Mais je ne vais jamais san-ans elle, parce que la forme, voyez-vous, la forme ! Tel rit d'un juge en habit court, qui-i tremble au seul aspect d'un procureur en robe. La forme, la-a forme ! 5

LE COMTE, *à l'huissier.* Faites entrer l'audience[2].

L'HUISSIER *va ouvrir en glapissant.* L'audience ! 10

---

1. **Domestique :** privée.
2. **L'audience :** la Cour et le public.

LE MARIAGE DE FIGARO.

BRID'OISON.
La forme, la-a forme!

Acte III, sc. XIV.

Brid'oison.
Dessin de Émile Bayard.

Scène 15 LES ACTEURS PRÉCÉDENTS,
ANTONIO, LES VALETS DU CHÂTEAU,
LES PAYSANS ET PAYSANNES
en habits de fête ; LE COMTE
s'assied sur le grand fauteuil,
BRID'OISON *sur une chaise*
à côté ; LE GREFFIER
sur le tabouret derrière sa table ;
LES JUGES, LES AVOCATS *sur*
les banquettes ; MARCELINE
à côté de BARTHOLO ; FIGARO
sur l'autre banquette ;
LES PAYSANS ET VALETS *debout*
derrière

BRID'OISON, *à Double-Main.* Double-Main, a-appelez les causes[1].

DOUBLE-MAIN *lit un papier.* « Noble, très noble, infiniment noble, *don Pedro George, hidalgo*[2]*, baron de Los Altos, y Montes Fieros, y Otros Montes* ; contre *Alonzo* 5 *Calderon,* jeune auteur dramatique. » Il est question d'une comédie mort-née, que chacun désavoue et rejette sur l'autre.

LE COMTE. Ils ont raison tous deux. Hors de cour. S'ils font ensemble un autre ouvrage, pour qu'il marque un 10 peu dans le grand monde, ordonné que le noble y mettra son nom, le poète son talent.

DOUBLE-MAIN *lit un autre papier.* « André Petrutchio, laboureur ; contre le receveur de la province. » Il s'agit d'un forcement arbitraire[3]. 15

---

1. **Appelez les causes :** énoncez les litiges.
2. **Hidalgo :** noble.
3. **Forcement arbitraire :** saisie injustifiée.

LE COMTE. L'affaire n'est pas de mon ressort. Je servirai mieux mes vassaux en les protégeant près du roi. Passez.

DOUBLE-MAIN *en prend un troisième. (Bartholo et Figaro se lèvent.)* « Barbe, Agar, Raab, Madeleine, Nicole, Marceline
20 *de Verte-Allure, fille majeure (Marceline se lève et salue)* ; contre Figaro… » Nom de baptême en blanc ?

FIGARO. Anonyme.

BRID'OISON. A-anonyme ! Què-el patron[1] est-ce là ?

FIGARO. C'est le mien.

25 **DOUBLE-MAIN** *écrit.* Contre anonyme Figaro. Qualités ?

FIGARO. Gentilhomme.

LE COMTE. Vous êtes gentilhomme ? *(Le greffier écrit.)*

FIGARO. Si le ciel l'eût voulu, je serais fils d'un prince.

LE COMTE, *au greffier.* Allez.

30 **L'HUISSIER** *glapissant.* Silence ! messieurs.

DOUBLE-MAIN *lit.* « … Pour cause d'opposition faite au mariage dudit *Figaro* par ladite *de Verte-Allure*. Le docteur *Bartholo* plaidant pour la demanderesse, et ledit *Figaro* pour lui-même, si la cour le permet, contre le vœu de
35 l'usage et la jurisprudence du siège[2]. »

FIGARO. L'usage, maître Double-Main, est souvent un abus. Le client un peu instruit sait toujours mieux sa cause que certains avocats, qui, suant à froid, criant à tue-tête, et connaissant tout, hors le fait, s'embarrassent aussi
40 peu de ruiner le plaideur que d'ennuyer l'auditoire et d'endormir messieurs : plus boursouflés après que s'ils eussent composé l'*Oratio pro Murena*[3]. Moi, je dirai le fait en peu de mots. Messieurs…

---

1. **Patron :** saint patron, celui dont on porte le nom.
2. **Contre le vœu [...] siège :** contre ce que veulent l'usage et la coutume juridique du tribunal.
3. ***Oratio pro Murena :*** fameux discours de Cicéron, homme politique et orateur romain (106-43 av. J.-C.).

DOUBLE-MAIN. En voilà beaucoup d'inutiles, car vous n'êtes pas demandeur, et n'avez que la défense. Avancez, docteur, et lisez la promesse. 45

FIGARO. Oui, promesse !

BARTHOLO, *mettant ses lunettes.* Elle est précise.

BRID'OISON. I-il faut la voir.

DOUBLE-MAIN. Silence donc, messieurs ! 50

L'HUISSIER, *glapissant.* Silence !

BARTHOLO *lit.* « Je soussigné reconnais avoir reçu de damoiselle, etc., *Marceline de Verte-Allure,* dans le château d'Aguas-Frescas, la somme de deux mille piastres fortes cordonnées[1] ; laquelle somme je lui rendrai à sa réquisi- 55 tion, dans ce château ; et je l'épouserai, par forme de reconnaissance, etc. Signé *Figaro,* tout court. » Mes conclusions sont au payement du billet et à l'exécution de la promesse, avec dépens[2]. *(Il plaide.)* Messieurs... jamais cause plus intéressante ne fut soumise au jugement de la 60 cour ; et, depuis Alexandre le Grand, qui promit mariage à la belle Thalestris...

LE COMTE, *interrompant.* Avant d'aller plus loin, avocat, convient-on de la validité du titre ?

BRID'OISON, *à Figaro.* Qu'oppo... qu'oppo-osez-vous à 65 cette lecture ?

FIGARO. Qu'il y a, messieurs, malice, erreur ou distraction dans la manière dont on a lu la pièce, car il n'est pas dit dans l'écrit : « laquelle somme je lui rendrai *et* je l'épouse-rai », mais, « laquelle somme je lui rendrai, *ou* je l'épouse- 70 rai » ; ce qui est bien différent.

LE COMTE. Y a-t-il *et,* dans l'acte, ou bien *ou ?*

---

1. **Piastres fortes cordonnées :** piastres frappées d'un cordon sur le pourtour.
2. **Avec dépens :** avec les frais du procès.

BARTHOLO. Il y a *et*.

FIGARO. Il y a *ou*.

75 **BRID'OISON.** Dou-ouble-Main, lisez vous-même.

DOUBLE-MAIN, *prenant le papier.* Et c'est le plus sûr ; car souvent les parties déguisent en lisant. *(Il lit.)* « E. e. e. damoiselle e, e, e, *de Verte-Allure* e, e, e, Ha ! laquelle somme je lui rendrai à sa réquisition, dans ce château...

80 *et... ou... et... ou...* » Le mot est si mal écrit... il y a un pâté.

BRID'OISON. Un pâ-âté ? je sais ce que c'est.

BARTHOLO, *plaidant.* Je soutiens, moi, que c'est la conjonction copulative *et* qui lie les membres corrélatifs de la phrase ; je payerai la demoiselle, *et* ? je l'épouserai.

85 **FIGARO,** *plaidant.* Je soutiens, moi, que c'est la conjonction alternative *ou* qui sépare lesdits membres ; je payerai la donzelle, *ou* je l'épouserai. À pédant, pédant et demi. Qu'il s'avise de parler latin, j'y suis grec[1] ; je l'extermine.

LE COMTE. Comment juger pareille question ?

90 **BARTHOLO.** Pour la trancher, messieurs, et ne plus chicaner sur un mot, nous passons qu'il y ait *ou*.

FIGARO. J'en demande acte.

BARTHOLO. Et nous y adhérons. Un si mauvais refuge ne sauvera pas le coupable. Examinons le titre en ce sens.

95 *(Il lit.)* « Laquelle somme je lui rendrai dans ce château *où* je l'épouserai. » C'est ainsi qu'on dirait, Messieurs : « Vous vous ferez saigner dans ce lit, où vous resterez chaudement », c'est « dans lequel ». « Il prendra deux gros[2] de rhubarbe *où* vous mêlerez un peu de tamarin[3] », dans

---

1. **J'y suis grec :** expression signifiant « j'y suis fort habile ».

2. **Gros :** un gros est une mesure utilisée pour peser les plantes médicinales, et qui équivaut à un huitième d'once, c'est-à-dire une toute petite quantité.

3. **Tamarin :** comme la rhubarbe, c'est un laxatif.

lesquels on mêlera. Ainsi « château *où* je l'épouserai », ₁₀₀
messieurs, c'est « château dans lequel... ».

FIGARO. Point du tout : la phrase est dans le sens de
celle-ci : « *ou* la maladie vous tuera, *ou* ce sera le
médecin ; *ou bien* le médecin » ; c'est incontestable. Autre
exemple : « *ou* vous n'écrirez rien qui plaise, *ou* les sots ₁₀₅
vous dénigreront ; *ou bien* les sots » ; le sens est clair ; car,
audit cas, « *sots* ou *méchants* » sont le substantif qui gou-
verne. Maître Bartholo croit-il donc que j'aie oublié ma
syntaxe ? Ainsi, je la payerai dans ce château, *virgule*, ou je
l'épouserai... ₁₁₀

BARTHOLO, *vite.* Sans virgule.

FIGARO, *vite.* Elle y est. C'est, *virgule,* messieurs, ou bien je
l'épouserai.

BARTHOLO, *regardant le papier, vite.* Sans virgule, messieurs. ₁₁₅

FIGARO, *vite.* Elle y était, messieurs. D'ailleurs, l'homme
qui épouse est-il tenu de rembourser ?

BARTHOLO, *vite.* Oui ; nous nous marions séparés de
biens.

FIGARO, *vite.* Et nous de corps, dès que mariage n'est pas ₁₂₀
quittance[1]. *(Les juges se lèvent et opinent tout bas.)*

BARTHOLO. Plaisant acquittement !

DOUBLE-MAIN. Silence, messieurs !

L'HUISSIER, *glapissant.* Silence !

BARTHOLO. Un pareil fripon appelle cela payer ses ₁₂₅
dettes !

FIGARO. Est-ce votre cause, avocat, que vous plaidez ?

BARTHOLO. Je défends cette demoiselle.

---

1 . **Dès que mariage n'est pas quittance :** du moment que le mariage
n'annule pas la dette.

FIGARO. Continuez à déraisonner, mais cessez d'injurier. Lorsque, craignant l'emportement des plaideurs, les tribunaux ont toléré qu'on appelât des tiers[1], ils n'ont pas entendu que ces défenseurs modérés deviendraient impunément des insolents privilégiés. C'est dégrader le plus noble institut[2]. *(Les juges continuent d'opiner bas.)*

ANTONIO, *à Marceline, montrant les juges.* Qu'ont-ils tant à balbucifier[3] ?

MARCELINE. On a corrompu le grand juge ; il corrompt l'autre, et je perds mon procès.

BARTHOLO, *bas, d'un ton sombre.* J'en ai peur.

FIGARO, *gaiement.* Courage, Marceline !

DOUBLE-MAIN *se lève* ; *à Marceline.* Ah ! c'est trop fort ! je vous dénonce[4] ; et, pour l'honneur du tribunal, je demande qu'avant faire droit[5] sur l'autre affaire, il soit prononcé sur celle-ci.

LE COMTE *s'assied.* Non, greffier, je ne prononcerai point sur mon injure[6] personnelle ; un juge espagnol n'aura point à rougir d'un excès digne au plus des tribunaux asiatiques[7] : c'est assez des autres abus ! J'en vais corriger un second, en vous motivant mon arrêt : tout juge qui s'y refuse est un grand ennemi des lois. Que peut requérir la demanderesse ? mariage à défaut de paiement ; les deux ensemble impliqueraient[8].

DOUBLE-MAIN. Silence, messieurs !

---

1. **Tiers :** les avocats, qui sont étrangers à la cause.
2. **Institut :** institution.
3. **Balbucifier :** néologisme, pour balbutier.
4. **Je vous dénonce :** je requiers contre vous l'ouverture d'une plainte pour outrage à magistrat.
5. **Avant faire droit :** avant de rendre le jugement.
6. **Injure :** l'injure qui m'est faite.
7. **Tribunaux asiatiques :** réputés pour être injustes.
8. **Impliqueraient :** sous-entendu « contradiction » ; seraient contradictoires.

L'HUISSIER, *glapissant.* Silence. 155

LE COMTE. Que nous répond le défendeur ? qu'il veut garder sa personne ; à lui permis.

FIGARO, *avec joie.* J'ai gagné !

LE COMTE. Mais comme le texte dit : « laquelle somme je payerai à la première réquisition, *ou* bien j'épouserai, 160 etc. », la cour condamne le défendeur à payer deux mille piastres fortes à la demanderesse, ou bien à l'épouser dans le jour. *(Il se lève.)*

FIGARO, s*tupéfait.* J'ai perdu.

ANTONIO, *avec joie.* Superbe arrêt ! 165

FIGARO. En quoi superbe ?

ANTONIO. En ce que tu n'es plus mon neveu. Grand merci, Monseigneur.

L'HUISSIER, *glapissant.* Passez, messieurs. *(Le peuple sort.)*

ANTONIO, Je m'en vas tout conter à ma nièce. *(Il sort.)* 170

Scène 16 — LE COMTE, *allant de côté et d'autre* ; MARCELINE, BARTHOLO, FIGARO, BRID'OISON

MARCELINE *s'assied.* Ah ! je respire !

FIGARO. Et moi, j'étouffe.

LE COMTE, *à part.* Au moins je suis vengé, cela soulage.

FIGARO *à part.* Et ce Bazile qui devait s'opposer au mariage de Marceline, voyez comme il revient ! – *(Au* 5 *Comte qui sort.)* Monseigneur, vous nous quittez ?

LE COMTE. Tout est jugé.

FIGARO, *à Brid'oison.* C'est ce gros enflé de conseiller...

BRID'OISON. Moi, gro-os enflé !

10 **FIGARO.** Sans doute. Et je ne l'épouserai pas : je suis gentilhomme, une fois[1]. *(Le Comte s'arrête.)*

BARTHOLO. Vous l'épouserez.

FIGARO. Sans l'aveu de mes nobles parents ?

BARTHOLO. Nommez-les, montrez-les.

15 **FIGARO.** Qu'on me donne un peu de temps : je suis bien près de les revoir ; il y a quinze ans que je les cherche.

BARTHOLO. Le fat ! c'est quelque enfant trouvé !

FIGARO. Enfant perdu, docteur, ou plutôt enfant volé.

LE COMTE *revient.* « Volé, perdu », la preuve ? il crierait
20 qu'on lui fait injure !

FIGARO. Monseigneur, quand les langes à dentelles, tapis brodés et joyaux d'or trouvés sur moi par les brigands n'indiqueraient pas ma haute naissance, la précaution qu'on avait prise de me faire des marques distinctives
25 témoignerait assez combien j'étais un fils précieux : et cet hiéroglyphe[2] à mon bras... *(Il veut se dépouiller le bras droit.)*

MARCELINE, *se levant vivement.* Une spatule[3] à ton bras droit ?

30 **FIGARO.** D'où savez-vous que je dois l'avoir ?

MARCELINE. Dieux ! c'est lui !

FIGARO. Oui, c'est moi.

BARTHOLO, *à Marceline.* Et qui ? lui !

MARCELINE, *vivement.* C'est Emmanuel[4].

35 **BARTHOLO,** *à Figaro.* Tu fus enlevé par des Bohémiens ?

---

1. **Une fois :** une fois pour toutes.
2. **Hiéroglyphe :** caractère de l'écriture égyptienne, alors non déchiffrée ; signe incompréhensible.
3. **Spatule :** instrument de chirurgie.
4. **Emmanuel :** voir I, 4.

FIGARO, *exalté*. Tout près d'un château. Bon docteur, si vous me rendez à ma noble famille, mettez un prix à ce service ; des monceaux d'or n'arrêteront pas mes illustres parents.

BARTHOLO, *montrant Marceline*. Voilà ta mère.   40

FIGARO. ... Nourrice ?

BARTHOLO. Ta propre mère.

LE COMTE. Sa mère !

FIGARO. Expliquez-vous.

MARCELINE, *montrant Bartholo*. Voilà ton père.   45

FIGARO, *désolé*. Oooh ! aïe de moi !

MARCELINE. Est-ce que la nature ne te l'a pas dit mille fois ?

FIGARO. Jamais.

LE COMTE, *à part*. Sa mère !

BRID'OISON. C'est clair, i-il ne l'épousera pas.   50

BARTHOLO[1]. Ni moi non plus.

MARCELINE. Ni vous ! Et votre fils ? vous m'aviez juré...

BARTHOLO. J'étais fou. Si pareils souvenirs engageaient, on serait tenu d'épouser tout le monde.

BRID'OISON. E-et si l'on y regardait de si près, perer-   55
sonne n'épouserait personne.

BARTHOLO. Des fautes si connues ! une jeunesse déplorable.

MARCELINE, *s'échauffant par degrés*. Oui, déplorable, et plus qu'on ne croit ! Je n'entends pas nier mes fautes ; ce jour les a trop bien prouvées ! mais qu'il est dur de les   60
expier après trente ans d'une vie modeste ! J'étais née, moi, pour être sage, et je la suis devenue sitôt qu'on m'a permis d'user de ma raison. Mais dans l'âge des illusions,

---

1. Ce qui suit, enfermé entre ces deux index [c'est-à-dire jusqu'à « Nous attendrons »], a été retranché par les Comédiens-Français aux représentations de Paris. (Note de Beaumarchais.)

de l'inexpérience et des besoins, où les séducteurs nous
65 assiègent pendant que la misère nous poignarde, que peut
opposer une enfant à tant d'ennemis rassemblés ? Tel nous
juge ici sévèrement, qui, peut-être, en sa vie a perdu dix
infortunées !

FIGARO. Les plus coupables sont les moins généreux ;
70 c'est la règle.

MARCELINE, *vivement.* Hommes plus qu'ingrats, qui flétrissez par le mépris les jouets de vos passions, vos victimes !
c'est vous qu'il faut punir des erreurs de notre jeunesse ;
vous et vos magistrats, si vains du droit de nous juger, et
75 qui nous laissent enlever, par leur coupable négligence,
tout honnête moyen de subsister. Est-il un seul état pour
les malheureuses filles ? Elles avaient un droit naturel à
toute la parure des femmes : on y laisse former mille
ouvriers de l'autre sexe.

80 **FIGARO,** *en colère.* Ils font broder jusqu'aux soldats !

MARCELINE, *exaltée.* Dans les rangs même plus élevés,
les femmes n'obtiennent de vous qu'une considération
dérisoire ; leurrées de respects apparents, dans une servitude réelle ; traitées en mineures pour nos biens, punies
85 en majeures pour nos fautes ! Ah ! sous tous les aspects,
votre conduite avec nous fait horreur ou pitié !

FIGARO. Elle a raison !

LE COMTE, *à part.* Que trop raison !

BRID'OISON. Elle a, mon-on Dieu, raison.

90 **MARCELINE.** Mais que nous font, mon fils, les refus d'un
homme injuste ? ne regarde pas d'où tu viens, vois où tu
vas : cela seul importe à chacun. Dans quelques mois ta
fiancée ne dépendra plus que d'elle-même ; elle t'acceptera, j'en réponds. Vis entre une épouse, une mère tendres
95 qui te chériront à qui mieux mieux. Sois indulgent pour
elles, heureux pour toi, mon fils ; gai, libre et bon pour
tout le monde : il ne manquera rien à ta mère.

FIGARO. Tu parles d'or, maman, et je me tiens à ton avis. Qu'on est sot, en effet ! Il y a des mille et mille ans que le monde roule, et dans cet océan de durée, où j'ai par hasard attrapé quelques chétifs trente ans qui ne reviendront plus, j'irais me tourmenter pour savoir à qui je les dois ! Tant pis pour qui s'en inquiète. Passer ainsi la vie à chamailler, c'est peser sur le collier sans relâche, comme les malheureux chevaux de la remonte[1] des fleuves, qui ne reposent pas même quand ils s'arrêtent, et qui tirent toujours, quoiqu'ils cessent de marcher. Nous attendrons.

LE COMTE. Sot événement qui me dérange !

BRID'OISON, *à Figaro.* Et la noblesse, et le château ? Vous impo-osez à la justice[2] !

FIGARO. Elle allait me faire faire une belle sottise, la justice ! Après que j'ai manqué, pour ces maudits cent écus[8], d'assommer vingt fois monsieur, qui se trouve aujourd'hui mon père ! Mais puisque le ciel a sauvé ma vertu de ces dangers, mon père, agréez mes excuses... Et vous, ma mère, embrassez-moi... le plus maternellement que vous pourrez. *(Marceline lui saute au cou.)*

Scène 17 BARTHOLO, FIGARO, MARCELINE, BRID'OISON, SUZANNE, ANTONIO, LE COMTE

SUZANNE, *accourant, une bourse à la main.* Monseigneur, arrêtez ; qu'on ne les marie pas : je viens payer madame avec la dot que ma maîtresse me donne.

LE COMTE, *à part.* Au diable la maîtresse ! Il semble que tout conspire... *(Il sort.)*

---

1. **La remonte :** le halage.
2. **Imposez à la justice :** cherchez à tromper la justice.
3. **Cent écus :** évoqués dans *Le Barbier de Séville.*

Scène 18 BARTHOLO, ANTONIO, SUZANNE, FIGARO, MARCELINE, BRID'OISON

ANTONIO, *voyant Figaro embrasser sa mère, dit à Suzanne.* Ah ! oui, payer ! Tiens, tiens.

SUZANNE *se retourne.* J'en vois assez : sortons, mon oncle.

FIGARO, *l'arrêtant.* Non, s'il vous plaît. Que vois-tu donc ?

5 **SUZANNE.** Ma bêtise et ta lâcheté.

FIGARO. Pas plus de l'une que de l'autre.

SUZANNE, *en colère.* Et que tu l'épouses à gré[1] puisque tu la caresses.

FIGARO, *gaiement.* Je la caresse, mais je ne l'épouse pas.
10 *(Suzanne veut sortir, Figaro la retient.)*

SUZANNE *lui donne un soufflet.* Vous êtes bien insolent d'oser me retenir !

FIGARO, *à la compagnie.* C'est-il çà de l'amour ! Avant de nous quitter, je t'en supplie, envisage bien cette chère
15 femme-là.

SUZANNE. Je la regarde.

FIGARO. Et tu la trouves ?...

SUZANNE. Affreuse.

FIGARO. Et vive la jalousie ! elle ne vous marchande pas.

20 **MARCELINE,** *les bras ouverts.* Embrasse ta mère, ma jolie Suzannette. Le méchant qui te tourmente est mon fils.

SUZANNE *court à elle.* Vous, sa mère ! *(Elles restent dans les bras l'une de l'autre.)*

ANTONIO. C'est donc de tout à l'heure ?

---

1. **À gré** : volontiers.

FIGARO. .... Que je le sais.   25

MARCELINE, *exaltée.* Non, mon cœur entraîné vers lui ne se trompait que de motif ; c'était le sang qui me parlait.

FIGARO. Et moi le bon sens, ma mère, qui me servait d'instinct quand je vous refusais ; car j'étais loin de vous haïr, témoin l'argent...   30

MARCELINE *lui remet un papier.* Il est à toi : reprends ton billet, c'est ta dot.

SUZANNE *lui jette la bourse.* Prends encore celle-ci.

FIGARO. Grand merci.

MARCELINE, *exaltée.* Fille assez malheureuse, j'allais   35
devenir la plus misérable des femmes, et je suis la plus for-
tunée des mères ! Embrassez-moi, mes deux enfants ;
j'unis dans vous toutes mes tendresses. Heureuse autant
que je puis l'être, ah ! mes enfants, combien je vais aimer !

FIGARO, *attendri, avec vivacité.* Arrête donc, chère mère !   40
arrête donc ! voudrais-tu voir se fondre en eau mes yeux
noyés des premières larmes que je connaisse ? Elles sont
de joie, au moins. Mais quelle stupidité ! j'ai manqué d'en
être honteux : je les sentais couler entre mes doigts :
regarde ; *(il montre ses doigts écartés)* et je les retenais   45
bêtement ! Va te promener, la honte ! je veux rire et pleu-
rer en même temps ; on ne sent pas deux fois ce que
j'éprouve. *(Il embrasse sa mère d'un côté, Suzanne de
l'autre[2].)*

MARCELINE. Ô mon ami !   50

SUZANNE. Mon cher ami !

BRID'OISON, *s'essuyant les yeux d'un mouchoir.* Et bien !
moi, je suis donc bê-ête aussi !

---

2. Bartholo, Antonio, Suzanne, Figaro, Marceline, Brid'oison. (Note de Beaumarchais.)

FIGARO, *exalté.* Chagrin, c'est maintenant que je puis te
55 défier ! Atteins-moi, si tu l'oses, entre ces deux femmes
chéries.

ANTONIO, *à Figaro.* Pas tant de cajoleries, s'il vous plaît.
En fait de mariage dans les familles, celui des parents va
devant, savez. Les vôtres se baillent-ils la main[3] ?

60 **BARTHOLO.** Ma main puisse-t-elle se dessécher et tomber, si jamais je la donne à la mère d'un tel drôle !

ANTONIO, *à Bartholo.* Vous n'êtes donc qu'un père marâtre ?
(À Figaro.) En ce cas, not'galant, plus de parole.

SUZANNE. Ah ! mon oncle…

65 **ANTONIO.** Irai-je donner l'enfant de not'sœur à sti qui
n'est l'enfant de personne ?

BRID'OISON, Est-ce que cela-a se peut, imbécile ? on-on
est toujours l'enfant de quelqu'un.

ANTONIO. Tarare[4]… Il ne l'aura jamais. *(Il sort.)*

Scène 19 BARTHOLO, SUZANNE, FIGARO, MARCELINE, BRID'OISON

BARTHOLO, *à Figaro.* Et cherche à présent qui t'adopte. *(Il
veut sortir.)*

MARCELINE, *courant prendre Bartholo à bras-le-corps, le
ramène.* Arrêtez, docteur, ne sortez pas !

5 **FIGARO,** *à part.* Non, tous les sots d'Andalousie sont, je
crois, déchaînés contre mon pauvre mariage !

---

1. **Se baillent-ils la main :** se donnent-ils la main (pour se marier).
2. **Tarare ! :** interjection, équivalent de « taratata », et titre du futur opéra
de Beaumarchais (1790).

SUZANNE, *à Bartholo.* Bon petit papa, c'est votre fils.

MARCELINE, *à Bartholo.* De l'esprit, des talents, de la figure.

FIGARO, *à Bartholo.* Et qui ne vous a pas coûté une obole. 10

BARTHOLO. Et les cent écus qu'il m'a pris ?

MARCELINE, *le caressant.* Nous aurons tant de soin de vous, papa !

SUZANNE, *le caressant.* Nous vous aimerons tant, petit papa ! 15

BARTHOLO, *attendri.* Papa ! bon papa ! petit papa ! voilà que je suis plus bête encore que monsieur, moi. *(Montrant Brid'oison.)* Je me laisse aller comme un enfant. *(Marceline et Suzanne l'embrassent.)* Oh ! non, je n'ai pas dit oui. *(Il se retourne.)* Qu'est donc devenu Monseigneur ? 20

FIGARO. Courons le joindre ; arrachons-lui son dernier mot. S'il machinait quelque autre intrigue, il faudrait tout recommencer.

TOUS ENSEMBLE. Courons, courons ! *(Ils entraînent Bartholo dehors.)* 25

Scène 20 Brid'oison, *seul*

Plus bê-ête encore que monsieur ! On peut se dire à soi-même ces-es sortes de choses-là, mais… I-ils ne sont pas polis du tout dan-ans cet endroit-ci. *(Il sort.)*

Clefs d'analyse

Acte III.

Compréhension

L'action

- Repérer les trois grandes étapes de cet acte.

Des personnages en devenir

- Observer l'assurance de Suzanne (III, 9 et 10).
- Observer les marques d'irrésolution du Comte (III, 1, 2, 4, 5, 7, 8 et 11).

La farce

- Observer les éléments grotesques (langage, attitude, convictions) du personnage de Brid'oison (III, 12-16, 18-20).

Un réquisitoire contre les hommes

- Observer la description réaliste que Marceline fait de la désastreuse condition féminine, et ses griefs contre les hommes (III, 16).

Réflexion

Une situation qui bascule

- Analyser l'évolution des rapports de force entre le Comte et Suzanne, et entre le Comte et Figaro.

Une satire de la justice

- Expliquer la virulence de la satire contre la machine judiciaire en tenant compte de la biographie de Beaumarchais.

Une comédie larmoyante

- Analyser comment l'épisode de la « reconnaissance » de l'enfant perdu (III, 16-20) mélange les registres et transforme Marceline en personnage émouvant et convaincant.

À retenir :

L'acte III est à la fois important du point de vue dramatique (le mariage de Suzanne et de Figaro est désormais possible et le Comte se trouve ébranlé) et du point de vue psychologique (il montre un personnage irrésolu). Mais il propose aussi une parodie de procès hautement satirique et une critique sociale virulente.

Synthèse Acte III

Une farce judiciaire

Personnages

Une nouvelle famille pour Figaro

À la faveur du procès qui occupe l'essentiel de l'acte III, le Comte se trouve de plus en plus isolé (il apparaît seul pendant quatre scènes) et perd progressivement contenance, tandis que deux personnages se trouvent dotés d'un passé et d'une individualité plus riches : Marceline et Figaro. Chaque étape de l'acte est en effet une déception pour le Comte : il n'obtient pas les informations souhaitées auprès de Figaro, qui détourne habilement ses questions. Suzanne répond favorablement à sa proposition de rendez-vous, mais des paroles surprises entre elle et Figaro inquiètent le Comte. À l'issue du procès, d'abord perdu, puis miraculeusement gagné par Figaro, Marceline et le barbier se retrouvent mère et fils, et le Comte privé de la vengeance qu'il espérait prendre sur Figaro. Le coup de grâce vient de Suzanne qui, arrivant pour payer les dettes de Figaro avec la dot reçue de la Comtesse, achève de le persuader qu'il y a une « conspiration » contre lui. À l'inverse du Comte, le personnage de Figaro s'étoffe. Véritable fanfaron de farce, Figaro passe d'une brillante improvisation sur le sésame anglais *God-dam* à une satire efficace de la politique pour donner le change aux questions du Comte (III, 5). Pendant le procès, il poursuit dans cette veine satirique, fustigeant les vices de la machine judiciaire et les crimes des médecins, et se prétend gentilhomme et de « haute naissance ». Apparaît ensuite, avec la scène de reconnaissance (III, 16), un autre Figaro, déçu puis attendri par sa peu reluisante famille, et se faisant, grâce aux sages conseils de Marceline, une nouvelle philosophie de la vie. Quant à Marceline, elle passe du rôle de duègne médisante à l'emploi de mère digne et bienveillante. Mais elle n'oublie pas son passé de femme bafouée et défend âprement la cause féminine. Beaumarchais n'entend-il pas donner à travers ces propos une leçon d'éloquence, de sincérité et de rectitude à une justice formaliste et corrompue ?

177

Synthèse Acte III

Langage

Farce et mauvaise rhétorique, juste colère et vrais sentiments

Toutes les formes de comique (de situation, de gestes, de mots) se mêlent dans ce procès où la rhétorique creuse de Bartholo et le formalisme bégayant de Brid'oison s'inspirent des fantaisies verbales de Rabelais. Puis l'émotion succède à la farce lorsque Marceline prend la parole. Le récit pathétique de sa jeunesse, les accusations qu'elle porte contre une société sexiste, les conseils qu'elle prodigue à son fils retrouvé touchent par leur sincérité. Mais la comédie reprend le dessus en fin d'acte : la kyrielle des « papa » et « petit papa » (III, 19) fait écho à l'air de *God-dam* de Figaro (III, 5), aux bégaiements de Brid'oison et plus encore aux variations sur la « mère » de la scène de reconnaissance. Quel retour en enfance !

Société

Un règlement de compte avec le pouvoir et la justice

Cet acte est un véritable règlement de compte. Avec le monde politique d'abord, assimilé à celui de l'intrigue. Avec la machine judiciaire et les lois qu'elle édicte, ensuite. Avec une société qui assujettit les femmes, enfin. Beaumarchais connaît le monde dont il parle. Espion pour Louis XV et Louis XVI en Angleterre et ailleurs en Europe, négociateur, homme d'affaires dans les plus hautes sphères, il est même réputé pour ses talents d'intrigant... Mais, surtout, il a vécu de nombreuses années de procès qui l'ont mis aux prises avec des magistrats corrompus (Goëzman ici caricaturé en Brid'oison). Enfin, Beaumarchais a déjà défendu la cause de sa sœur maltraitée par un homme qui lui avait faussement promis le mariage. Et la cause féminine est un des sujets qui tiennent à cœur aux hommes des Lumières.

ACTE IV

Scène 1 Figaro, Suzanne

Le théâtre représente une galerie ornée de candélabres, de lustres allumés, de fleurs, de guirlandes, en un mot préparée pour donner une fête. Sur le devant, à droite, est une table avec une écritoire, un fauteuil derrière.

Figaro, *la tenant à bras-le-corps.* Hé bien ! amour, es-tu contente[1] ? Elle a converti[2] son docteur, cette fine langue dorée de ma mère ! Malgré sa répugnance, il l'épouse, et ton bourru d'oncle est bridé ; il n'y a que Monseigneur qui rage, car enfin notre hymen va devenir le prix du leur. Ris donc un peu de ce bon résultat. 5

Suzanne. As-tu rien vu de plus étrange ?

Figaro. Ou plutôt d'aussi gai. Nous ne voulions qu'une dot arrachée à l'Excellence ; en voilà deux dans nos mains, qui ne sortent pas des siennes. Une rivale acharnée te 10 poursuivait ; j'étais tourmenté par une furie ; tout cela s'est changé, pour nous, dans « la plus bonne » des mères. Hier, j'étais comme seul au monde, et voilà que j'ai tous mes parents ; pas si magnifiques, il est vrai, que je me les étais galonnés[3] ; mais assez bien pour nous, qui n'avons 15 pas la vanité des riches.

Suzanne. Aucune des choses que tu avais disposées, que nous attendions, mon ami, n'est pourtant arrivée !

Figaro. Le hasard a mieux fait que nous tous, ma petite. Ainsi va le monde ; on travaille, on projette, on arrange 20 d'un côté ; la fortune accomplit de l'autre : et depuis l'affamé conquérant qui voudrait avaler la terre, jusqu'au paisible

---

1. **Contente :** pleinement satisfaite. Sens plus fort qu'aujourd'hui.
2. **Converti :** fait changer d'avis.
3. **Je me les étais galonnés :** je me les étais figurés ayant du galon, étant riches.

Acte IV - Scène 1

les caprices de la fortune

aveugle qui se laisse mener par son chien, <u>tous sont le jouet de ses caprices</u> ; encore l'aveugle au chien est-il sou-
25 vent mieux conduit, moins trompé dans ses vues, que l'autre aveugle avec son entourage. – Pour cet aimable aveugle qu'on nomme Amour... *(Il la reprend tendrement à bras-le-corps.)*

SUZANNE. Ah ! c'est le seul qui m'intéresse !

30 **FIGARO.** Permets donc que, prenant l'emploi de la Folie, je sois le bon chien[4] qui le mène à ta jolie mignonne porte ; et nous voilà logés pour la vie.

SUZANNE, *riant.* L'Amour et toi ?

FIGARO. Moi et l'Amour.

35 **SUZANNE.** Et vous ne chercherez pas d'autre gîte ?

FIGARO. Si tu m'y prends, je veux bien que mille millions de galants...

SUZANNE. Tu vas exagérer ; dis ta bonne vérité.

FIGARO. Ma vérité la plus vraie !

40 **SUZANNE.** Fi donc, vilain ! en a-t-on plusieurs ?

FIGARO. Oh ! que oui. Depuis qu'on a remarqué qu'avec le temps vieilles folies deviennent sagesse, et qu'anciens petits mensonges assez mal plantés ont produit de grosses, grosses vérités, on en a de mille espèces. Et celles qu'on
45 sait, sans oser les divulguer : car toute vérité n'est pas bonne à dire ; et celles qu'on vante, sans y ajouter foi : car toute vérité n'est pas bonne à croire ; et les serments passionnés, les menaces des mères, les protestations des buveurs, les promesses des gens en place, le dernier mot
50 de nos marchands, cela ne finit pas. <u>Il n'y a que mon amour pour Suzon qui soit une vérité de bon aloi.</u>

---

1. **Le bon chien :** la légende antique veut que la Folie, ayant aveuglé le dieu Amour, ait été condamnée à lui servir de guide (voir aussi La Fontaine, « L'Amour et la Folie », XII, 14).

SUZANNE. J'aime ta joie, parce qu'elle est folle ; elle annonce que tu es heureux. Parlons du rendez-vous du Comte.

FIGARO. Ou plutôt n'en parlons jamais ; il a failli me coûter Suzanne. 55

SUZANNE. Tu ne veux donc plus qu'il ait lieu ?

FIGARO. Si vous m'aimez, Suzon, votre parole d'honneur sur ce point : qu'il s'y morfonde ; et c'est sa punition.

SUZANNE. Il m'en a plus coûté de l'accorder que je n'ai de 60 peine à le rompre ; il n'en sera plus question.

FIGARO. Ta bonne vérité ?

SUZANNE. Je ne suis pas comme vous autres savants moi ! je n'en ai qu'une.

FIGARO. Et tu m'aimeras un peu ? 65

SUZANNE. Beaucoup.

FIGARO. Ce n'est guère.

SUZANNE. Et comment ?

FIGARO. En fait d'amour, vois-tu, trop n'est pas même assez. 70

SUZANNE. Je n'entends pas toutes ces finesses, mais je n'aimerai que mon mari.

FIGARO. Tiens parole, et tu feras une belle exception à l'usage. *(Il veut l'embrasser.)*

Scène 2   FIGARO, SUZANNE, LA COMTESSE

LA COMTESSE. Ah ! j'avais raison de le dire ; en quelque endroit qu'ils soient, croyez qu'ils sont ensemble. Allons donc, Figaro, c'est voler l'avenir, le mariage et vous-même, que d'usurper un tête-à-tête. On vous attend, on s'impatiente.

5   **FIGARO.** Il est vrai, Madame, je m'oublie. Je vais leur montrer mon excuse. *(Il veut emmener Suzanne.)*

LA COMTESSE *la retient.* Elle vous suit.

Scène 3   SUZANNE, LA COMTESSE

LA COMTESSE. As-tu ce qu'il nous faut pour troquer de vêtement ?

SUZANNE. Il ne faut rien, Madame ; le rendez-vous ne tiendra pas.

5   **LA COMTESSE.** Ah ! vous changez d'avis ?

SUZANNE. C'est Figaro.

LA COMTESSE. Vous me trompez.

SUZANNE. Bonté divine !

LA COMTESSE. Figaro n'est pas homme à laisser échapper
10   une dot.

SUZANNE. Madame ! eh ! que croyez-vous donc ?

LA COMTESSE. Qu'enfin, d'accord avec le Comte, il vous fâche à présent de m'avoir confié ses projets. Je vous sais par cœur. Laissez-moi. *(Elle veut sortir.)*

Suzanne *se jette à genoux.* Au nom du ciel, espoir de ₁₅ tous ! vous ne savez pas, Madame, le mal que vous faites à Suzanne ! Après vos bontés continuelles et la dot que vous me donnez !…

La Comtesse *la relève.* Hé mais… je ne sais ce que je dis ! En me cédant ta place au jardin, tu n'y vas pas, mon cœur ; ₂₀ tu tiens parole à ton mari ; tu m'aides à ramener le mien.

Suzanne. Comme vous m'avez affligée !

La Comtesse. C'est que je ne suis qu'une étourdie. *(Elle la baise au front.)* Où est ton rendez-vous ?

Suzanne *lui baise la main.* Le mot de jardin m'a seul ₂₅ frappée.

La Comtesse, *montrant la table.* Prends cette plume, et fixons un endroit.

Suzanne. Lui écrire !

La Comtesse. Il le faut. ₃₀

Suzanne. Madame ! au moins, c'est vous…

La Comtesse. Je mets tout sur mon compte. *(Suzanne s'assied, la Comtesse dicte.)*
Chanson nouvelle, sur l'air… « Qu'il fera beau ce soir sous les grands marronniers… Qu'il fera beau, ce soir… » ₃₅

Suzanne *écrit.* « Sous les grands marronniers… » Après ?

La Comtesse. Crains-tu qu'il ne t'entende pas ?

Suzanne *relit.* C'est juste. *(Elle plie le billet.)* Avec quoi cacheter ?

La Comtesse. Une épingle, dépêche : elle servira de ₄₀ réponse. Écris sur le revers : « Renvoyez-moi le cachet. »

Suzanne *écrit en riant.* Ah ! « le cachet » !… Celui-ci, Madame, est plus gai que celui du brevet.

La Comtesse, *avec un souvenir douloureux.* Ah !

Suzanne *cherche sur elle.* Je n'ai pas d'épingle à présent ! ₄₅

LA COMTESSE *détache sa lévite.* Prends celle-ci. *(Le ruban du page tombe de son sein à terre.)* Ah ! mon ruban !

SUZANNE *le ramasse.* C'est celui du petit voleur ! Vous avez eu la cruauté ?...

50 **LA COMTESSE.** Fallait-il le laisser à son bras ? C'eût été joli ! Donnez donc !

SUZANNE. Madame ne le portera plus, taché du sang de ce jeune homme.

LA COMTESSE *le reprend.* Excellent pour Fanchette. Le
55 premier bouquet qu'elle m'apportera...

Scène 4
UNE JEUNE BERGÈRE, CHÉRUBIN *en fille* ; FANCHETTE *et beaucoup de jeunes filles habillées comme elle, et tenant des bouquets.* LA COMTESSE, SUZANNE

FANCHETTE. Madame, ce sont les filles du bourg qui viennent vous présenter des fleurs.

LA COMTESSE, *serrant vite son ruban.* Elles sont charmantes. Je me reproche, mes belles petites, de ne pas vous connaître
5 toutes. *(Montrant Chérubin.)* Quelle est cette aimable enfant qui a l'air si modeste ?

UNE BERGÈRE. C'est une cousine à moi, Madame, qui n'est ici que pour la noce.

LA COMTESSE. Elle est jolie. Ne pouvant porter vingt
10 bouquets, faisons honneur à l'étrangère. *(Elle prend le bouquet de Chérubin et le baise au front.)* Elle en rougit ! *(À Suzanne.)* Ne trouves-tu pas, Suzon... qu'elle ressemble à quelqu'un ?

SUZANNE. À s'y méprendre, en vérité.

15 **CHÉRUBIN** *à part, les mains sur son cœur.* Ah ! Ce baiser-là m'a été bien loin !

Scène 5 Les jeunes filles, Chérubin *au milieu d'elles,* Fanchette, Antonio, Le Comte, La Comtesse, Suzanne

Antonio. Moi je vous dis, Monseigneur, qu'il y est ; elles l'ont habillé chez ma fille ; toutes ses hardes y sont encore, et voilà son chapeau d'ordonnance que j'ai retiré du paquet. *(Il s'avance et regardant toutes les filles, il reconnaît Chérubin, lui enlève son bonnet de femme, ce qui fait retomber ses longs cheveux en cadenette*[1]*. Il lui met sur la tête le chapeau d'ordonnance, et dit :)* Eh parguenne[2], v'là notre officier !

La Comtesse *recule.* Ah ! ciel.

Suzanne. Ce friponneau !

Antonio. Quand je disais là-haut que c'était lui !...

Le Comte, *en colère.* Eh bien, madame ?

La Comtesse. Eh bien, monsieur ! vous me voyez plus surprise que vous et, pour le moins, aussi fâchée.

Le Comte. Oui ; mais tantôt, ce matin ?

La Comtesse. Je serais coupable, en effet, si je dissimulais encore. Il était descendu chez moi. Nous entamions le badinage que ces enfants viennent d'achever ; vous nous avez surprises l'habillant : votre premier mouvement est si vif ! il s'est sauvé, je me suis troublée, l'effroi général a fait le reste.

Le Comte, *avec dépit, à Chérubin.* Pourquoi n'êtes-vous pas parti ?

---

1. **Cadenette :** longue tresse que portaient certains soldats.
2. **Parguenne :** interjection signifiant « par Dieu » en patois de comédie.

CHÉRUBIN. *ôtant son chapeau brusquement.* Monseigneur…

25 **LE COMTE.** Je punirai ta désobéissance.

FANCHETTE, *étourdiment.* Ah ! Monseigneur, entendez-moi[1] ! Toutes les fois que vous venez m'embrasser, vous savez bien que vous dites toujours : « Si tu veux m'aimer, petite Fanchette, je te donnerai ce que tu voudras. »

30 **LE COMTE,** *rougissant.* Moi ! j'ai dit cela ?

FANCHETTE. Oui, Monseigneur. Au lieu de punir Chérubin, donnez-le-moi en mariage, et je vous aimerai à la folie.

LE COMTE, *à part.* Être ensorcelé par un page !

35 **LA COMTESSE.** Hé bien, monsieur, à votre tour ! l'aveu de cette enfant aussi naïf que le mien atteste enfin deux vérités : que c'est toujours sans le vouloir si je vous cause des inquiétudes, pendant que vous épuisez tout pour augmenter et justifier les miennes.

40 **ANTONIO.** Vous aussi, Monseigneur ? Dame ! je vous la redresserai comme feu sa mère, qui est morte… Ce n'est pas pour la conséquence ; mais c'est que Madame sait bien que les petites filles, quand elles sont grandes…

LE COMTE, *déconcerté, à part.* Il y a un mauvais génie qui
45 tourne tout ici contre moi !

---

1. **Entendez-moi :** exaucez-moi.

Scène 6 LES JEUNES FILLES, CHÉRUBIN,
ANTONIO, FIGARO, LE COMTE,
LA COMTESSE, SUZANNE

FIGARO. Monseigneur, si vous retenez nos filles, on ne pourra commencer ni la fête, ni la danse.

LE COMTE. Vous, danser ! vous n'y pensez pas. Après votre chute de ce matin, qui vous a foulé le pied droit !

FIGARO, *remuant la jambe.* Je souffre encore un peu ; ce n'est rien. *(Aux jeunes filles.)* Allons, mes belles, allons !   5

LE COMTE *le retourne.* Vous avez été fort heureux que ces couches ne fussent que du terreau bien doux !

FIGARO. Très heureux, sans doute ; autrement...

ANTONIO *le retourne.* Puis il s'est pelotonné en tombant   10 jusqu'en bas.

FIGARO. Un plus adroit, n'est-ce pas, serait resté en l'air ! *(Aux jeunes filles.)* Venez-vous, mesdemoiselles ?

ANTONIO *le retourne.* Et, pendant ce temps, le petit page galopait sur son cheval à Séville ?   15

FIGARO. Galopait, ou marchait au pas...

LE COMTE *le retourne.* Et vous aviez son brevet dans la poche ?

FIGARO, *un peu étonné.* Assurément ; mais quelle enquête ? *(Aux jeunes filles.)* Allons donc, jeunes filles !   20

ANTONIO, *attirant Chérubin par le bras.* En voici une qui prétend que mon neveu futur n'est qu'un menteur.

FIGARO, *surpris.* Chérubin *(À part.)* Peste du petit fat !

ANTONIO. Y es-tu maintenant ?

FIGARO, *cherchant.* J'y suis... j'y suis... Hé ! qu'est-ce qu'il   25 chante ?

LE COMTE, *sèchement.* Il ne chante pas ; il dit que c'est lui qui a sauté sur les giroflées.

FIGARO, *rêvant.* Ah ! s'il le dit... cela se peut. Je ne dispute
30 pas de ce que j'ignore.

LE COMTE. Ainsi vous et lui ?...

FIGARO. Pourquoi non ? la rage de sauter peut gagner : voyez les moutons de Panurge[1] ; et quand vous êtes en colère, il n'y a personne qui n'aime mieux risquer...

35 **LE COMTE.** Comment, deux à la fois ?

FIGARO. On aurait sauté deux douzaines. Et qu'est-ce que cela fait, Monseigneur, dès qu'il n'y a personne de blessé ? *(Aux jeunes filles.)* Ah çà, voulez-vous venir, ou non ?

LE COMTE, *outré.* Jouons-nous une comédie ? *(On entend*
40 *un prélude de fanfare.)*

FIGARO. Voilà le signal de la marche. À vos postes, les belles, à vos postes ! Allons, Suzanne, donne-moi le bras. *(Tous s'enfuient ; Chérubin reste seul, la tête baissée.)*

---

1. **Moutons de Panurge :** voir Rabelais, *Quart-Livre*, chap. 8.

Scène 7 CHÉRUBIN, LE COMTE, LA COMTESSE

LE COMTE, *regardant aller Figaro.* En voit-on de plus audacieux ? *(Au page.)* Pour vous, monsieur le sournois, qui faites le honteux, allez vous rhabiller bien vite, et que je ne vous rencontre nulle part de la soirée.

LA COMTESSE. Il va bien s'ennuyer.   5

CHÉRUBIN, *étourdiment.* M'ennuyer ! j'emporte à mon front du bonheur pour plus de cent années de prison. *(Il met son chapeau et s'enfuit.)*

Scène 8 LE COMTE, LA COMTESSE

(La Comtesse s'évente fortement sans parler.)

LE COMTE. Qu'a-t-il au front de si heureux ?

LA COMTESSE, *avec embarras.* Son... premier chapeau d'officier, sans doute ; aux enfants tout sert de hochet. *(Elle veut sortir.)*   5

LE COMTE. Vous ne nous restez pas, Comtesse ?

LA COMTESSE. Vous savez que je ne me porte pas bien.

LE COMTE. Un instant pour votre protégée, ou je vous croirais en colère.

LA COMTESSE. Voici les deux noces, asseyons-nous donc   10
pour les recevoir.

LE COMTE, *à part.* La noce ! Il faut souffrir ce qu'on ne peut empêcher. *(Le Comte et la Comtesse s'assoient vers un des côtés de la galerie.)*

Scène 9   LE COMTE, LA COMTESSE, *assis ;*
l'on joue Les Folies d'Espagne
d'un mouvement de marche
(Symphonie notée.)

MARCHE

LES GARDE-CHASSE, *fusil sur l'épaule.*
L'ALGUAZIL, LES PRUD'HOMMES[1], BRID'OISON.
LES PAYSANS ET PAYSANNES *en habits de fête.*
DEUX JEUNES FILLES *portant la toque virginale à plumes*
5   *blanches.*
DEUX AUTRES, *le voile blanc.*
DEUX AUTRES, *les gants et le bouquet de côté.*
ANTONIO *donne la main à* SUZANNE, *comme étant celui qui*
la marie à FIGARO.
10   D'AUTRES JEUNES FILLES *portent une autre toque, un autre*
voile, un autre bouquet blanc, semblables aux premiers, pour
MARCELINE.
FIGARO *donne la main à* MARCELINE, *comme celui qui doit*
la remettre au DOCTEUR, *lequel ferme la marche, un gros*
15   *bouquet au côté. Les jeunes filles, en passant devant*
le Comte, remettent à ses valets tous les ajustements destinés
à SUZANNE *et à* MARCELINE.
LES PAYSANS ET PAYSANNES *s'étant rangés sur deux colonnes*
à chaque côté du salon, on danse une reprise du fandango[2]
20   *(air noté) avec des castagnettes : puis on joue la ritournelle*[3]
du duo, pendant laquelle ANTONIO *conduit* SUZANNE
au Comte ; elle se met à genoux devant lui.

---

1. **L'alguazil, les prudhommes :** l'huissier et les assistants de Brid'oison.
2. **Fandango :** danse espagnole.
3. **Ritournelle :** court motif instrumental annonçant ou achevant un chant.

Pendant que le Comte *lui pose la toque, le voile, et lui donne le*
bouquet, deux jeunes filles chantent le duo suivant (air noté) : 25

> *Jeune épouse, chantez les bienfaits et la gloire*
> *D'un maître qui renonce aux droits qu'il eut sur vous :*
> *Préférant au plaisir la plus noble victoire,*
> *Il vous rend chaste et pure aux mains de votre époux.*

Suzanne *est à genoux, et, pendant les derniers vers du duo,* 30
elle tire le Comte *par son manteau et lui montre le billet*
qu'elle tient ; puis elle porte la main qu'elle a du côté
des spectateurs à sa tête, où le Comte *a l'air d'ajuster*
sa toque ; elle lui donne le billet.

Le Comte *le met furtivement dans son sein ; on achève* 35
de chanter le duo ; la fiancée se relève, et lui fait une grande
révérence.

Figaro *vient la recevoir des mains du* Comte *et se retire*
avec elle à l'autre côté du salon, près de Marceline. *(On*
danse une autre reprise du fandango, pendant ce temps.) 40
Le comte, *pressé de lire ce qu'il a reçu, s'avance au bord*
du théâtre et tire le papier de son sein ; mais en le sortant
il fait le geste d'un homme qui s'est cruellement piqué
le doigt ; il le secoue, le presse, le suce, et, regardant le papier
cacheté d'une épingle, il dit : 45

Le Comte. *(Pendant qu'il parle, ainsi que Figaro,*
l'orchestre joue pianissimo.) Diantre soit des femmes, qui
fourrent des épingles partout ! *(Il la jette à terre, puis il lit*
le billet et le baise.)

Figaro, *qui a tout vu, dit à sa mère et à Suzanne :* C'est 50
un billet doux, qu'une fillette aura glissé dans sa main
en passant. Il était cacheté d'une épingle, qui l'a
outrageusement piqué.

La danse reprend : le Comte qui a lu le billet le retourne ;
55 *il y voit l'invitation de renvoyer le cachet pour réponse.*
Il cherche à terre, et retrouve enfin l'épingle qu'il attache
à sa manche.

FIGARO, *à Suzanne et à Marceline.* D'un objet aimé tout
est cher. Le voilà qui ramasse l'épingle. Ah ! c'est une drôle
60 de tête !
(Pendant ce temps, Suzanne a des signes d'intelligence avec
la Comtesse. La danse finit ; la ritournelle du duo
recommence.)

FIGARO *conduit Marceline au Comte, ainsi qu'on a conduit*
65 *Suzanne ; à l'instant où le Comte prend la toque, et où l'on*
va chanter le duo, on est interrompu par les cris suivants :

L'HUISSIER, *criant à la porte.* Arrêtez donc, messieurs !
vous ne pouvez entrer tous… Ici les gardes ! les gardes !
(Les gardes vont vite à cette porte.)

70 **LE COMTE,** *se levant.* Qu'est-ce qu'il y a ?

L'HUISSIER. Monseigneur, c'est monsieur Bazile entouré
d'un village entier, parce qu'il chante en marchant.

LE COMTE. Qu'il entre seul.

LA COMTESSE. Ordonnez-moi de me retirer.

75 **LE COMTE.** Je n'oublie pas votre complaisance.

LA COMTESSE. Suzanne !… elle reviendra. *(À part, à*
Suzanne.) Allons changer d'habits. *(Elle sort avec Suzanne.)*

MARCELINE. Il n'arrive jamais que pour nuire.

FIGARO. Ah ! je m'en vais vous le faire déchanter.

Scène 10

Tous les acteurs précédents,
excepté la Comtesse et Suzanne ;
Bazile *tenant sa guitare* ;
Grippe-Soleil

BAZILE *entre en chantant sur l'air du vaudeville* [1] *de la fin. (air noté).*

> Cœurs sensibles, cœurs fidèles,
> Qui blâmez l'amour léger,
> Cessez vos plaintes cruelles :   5
> Est-ce un crime de changer ?
> Si l'Amour porte des ailes,
> N'est-ce pas pour voltiger ?
> N'est-ce pas pour voltiger ?
> N'est-ce pas pour voltiger ?   10

FIGARO *s'avance à lui.* Oui, c'est pour cela justement qu'il a des ailes au dos. Notre ami, qu'entendez-vous par cette musique ?

BAZILE, *montrant Grippe-Soleil.* Qu'après avoir prouvé mon obéissance à Monseigneur en amusant monsieur, qui est de 15 sa compagnie, je pourrai à mon tour réclamer sa justice.

GRIPPE-SOLEIL. Bah ! Monsigneu, il ne m'a pas amusé du tout : avec leux guenilles d'ariettes [2]...

LE COMTE. Enfin que demandez-vous, Bazile ?

BAZILE. Ce qui m'appartient, Monseigneur, la main de 20 Marceline ; et je viens m'opposer...

FIGARO *s'approche.* Y a-t-il longtemps que monsieur n'a vu la figure d'un fou ?

---

1. **Vaudeville :** suite de couplets chantés sur un air connu, présents dans certaines comédies. Le nom désigna ensuite un genre théâtral.
2. **Ariettes :** airs vifs et légers, dans la tradition italienne.

BAZILE. Monsieur, en ce moment même.

25 **FIGARO.** Puisque mes yeux vous servent si bien de miroir, étudiez-y l'effet de ma prédiction. Si vous faites mine seulement d'approximer[1] madame…

BARTHOLO, *en riant.* Eh pourquoi ? laisse-le parler.

BRID'OISON *s'avance entre deux.* Fau-aut-il que deux
30 amis ?…

FIGARO. Nous, amis !

BAZILE. Quelle erreur !

FIGARO, *vite.* Parce qu'il fait de plats airs de chapelle ?

BAZILE, *vite.* Et lui, des vers comme un journal ?

35 **FIGARO**, *vite.* Un musicien de guinguette !

BAZILE, *vite.* Un postillon de gazette[2] !

FIGARO, *vite.* Cuistre[3] d'oratorio[4] !

BAZILE, *vite.* Jockey[5] diplomatique !

LE COMTE, *assis.* Insolents tous les deux !

40 **BAZILE.** Il me manque[6] en toute occasion.

FIGARO. C'est bien dit, si cela se pouvait !

BAZILE. Disant partout que je ne suis qu'un sot.

FIGARO. Vous me prenez donc pour un écho ?

BAZILE. Tandis qu'il n'est pas un chanteur que mon talent
45 n'ait fait briller.

FIGARO. Brailler.

BAZILE. Il le répète !

---

1. **Approximer :** néologisme mis pour « approcher ».
2. **Postillon de gazette :** courrier de journal.
3. **Cuistre :** pédant.
4. **Oratorio :** œuvre lyrique religieuse.
5. **Jockey :** postillon.
6. **Il me manque :** sous-entendu, de respect.

FIGARO. Et pourquoi non, si cela est vrai ? Es-tu un prince, pour qu'on te flagorne ? Souffre la vérité, coquin, puisque tu n'as pas de quoi gratifier un menteur : ou si tu la crains de notre part, pourquoi viens-tu troubler nos noces ?

BAZILE, *à Marceline.* M'avez-vous promis, oui ou non, si, dans quatre ans, vous n'étiez pas pourvue, de me donner la préférence ?

MARCELINE. À quelle condition l'ai-je promis ?

BAZILE. Que si vous retrouviez un certain fils perdu, je l'adopterais par complaisance.

TOUS ENSEMBLE. Il est trouvé.

BAZILE. Qu'à cela ne tienne !

TOUS ENSEMBLE, *montrant Figaro.* Et le voici.

BAZILE, *reculant de frayeur.* J'ai vu le diable !

BRID'OISON, *à Bazile.* Et vou-ous renoncez à sa chère mère ?

BAZILE. Qu'y aurait-il de plus fâcheux que d'être cru le père d'un garnement ?

FIGARO. D'en être cru le fils ; tu te moques de moi !

BAZILE, *montrant Figaro.* Dès que[1] monsieur est de quelque chose[2] ici, je déclare, moi, que je n'y suis plus de rien. *(Il sort.)*

---

1 . **Dès que :** dès lors que.
2. **Est de quelque chose :** se mêle de quelque chose.

Scène 11 <small>LES ACTEURS PRÉCÉDENTS, *excepté* BAZILE</small>

BARTHOLO, *riant.* Ah ! ah ! ah ! ah !

FIGARO, *sautant de joie.* Donc à la fin j'aurai ma femme !

LE COMTE, *à part.* Moi, ma maîtresse. *(Il se lève.)*

BRID'OISON, *à Marceline.* Et tou-out le monde est satisfait.

5 **LE COMTE.** Qu'on dresse les deux contrats ; j'y signerai.

TOUS ENSEMBLE. Vivat ! *(Ils sortent.)*

LE COMTE. J'ai besoin d'une heure de retraite. *(Il veut sortir avec les autres.)*

Scène 12 <small>GRIPPE-SOLEIL, FIGARO, MARCELINE, LE COMTE</small>

GRIPPE-SOLEIL, *à Figaro.* Et moi, je vas aider à ranger le feu d'artifice sous les grands marronniers, comme on l'a dit.

LE COMTE *revient en courant.* Quel sot a donné un tel ordre ?

5 **FIGARO.** Où est le mal ?

LE COMTE, *vivement.* Et la Comtesse qui est incommodée, d'où le verra-t-elle, l'artifice ? C'est sur la terrasse qu'il le faut, vis-à-vis son appartement.

FIGARO. Tu l'entends, Grippe-Soleil ? la terrasse.

10 **LE COMTE.** Sous les grands marronniers ! belle idée ! *(En s'en allant, à part.)* Ils allaient incendier mon rendez-vous !

Scène 13 FIGARO, MARCELINE

FIGARO. Quel excès d'attention pour sa femme ! *(Il veut sortir.)*

MARCELINE *l'arrête.* Deux mots, mon fils. Je veux m'acquitter avec toi : un sentiment mal dirigé m'avait rendue injuste envers ta charmante femme : je la supposais d'accord 5
avec le Comte, quoique j'eusse appris de Bazile qu'elle l'avait toujours rebuté.

FIGARO. Vous connaissiez mal votre fils de le croire ébranlé par ces impulsions féminines. Je puis défier la plus rusée de m'en faire accroire. 10

MARCELINE. Il est toujours heureux de le penser, mon fils ; la jalousie…

FIGARO. … N'est qu'un sot enfant de l'orgueil, ou c'est la maladie d'un fou. Oh ! j'ai là-dessus, ma mère, une philosophie… imperturbable ; et si Suzanne doit me tromper 15
un jour, je le lui pardonne d'avance ; elle aura longtemps travaillé… *(Il se retourne et aperçoit Fanchette qui cherche de côté et d'autre.)*

Scène 14 FIGARO, FANCHETTE, MARCELINE

FIGARO. Eeeh !… ma petite cousine qui nous écoute !

FANCHETTE. Oh ! pour ça, non : on dit que c'est malhonnête.

FIGARO. Il est vrai ; mais comme cela est utile, on fait aller souvent l'un pour l'autre.

5 **FANCHETTE.** Je regardais si quelqu'un était là.

FIGARO. Déjà dissimulée, friponne ! Vous savez bien qu'il n'y peut être.

FANCHETTE. Et qui donc ?

FIGARO. Chérubin.

10 **FANCHETTE.** Ce n'est pas lui que je cherche, car je sais fort bien où il est ; c'est ma cousine Suzanne.

FIGARO. Et que lui veut ma petite cousine ?

FANCHETTE. À vous, petit cousin, je le dirai. – C'est… ce n'est qu'une épingle que je veux lui remettre.

15 **FIGARO,** *vivement.* Une épingle ! une épingle !… Et de quelle part, coquine ? À votre âge, vous faites déjà un mét… *(Il se reprend, et dit d'un ton doux.)* Vous faites déjà très bien tout ce que vous entreprenez, Fanchette ; et ma jolie cousine est si obligeante…

20 **FANCHETTE.** À qui donc en a-t-il de se fâcher ? Je m'en vais.

FIGARO, *l'arrêtant.* Non, non, je badine. Tiens, ta petite épingle est celle que Monseigneur t'a dit de remettre à Suzanne, et qui servait à cacheter un petit papier qu'il
25 tenait : tu vois que je suis au fait.

FANCHETTE. Pourquoi donc le demander, quand vous le savez si bien ?

FIGARO, *cherchant.* C'est qu'il est assez gai de savoir comment Monseigneur s'y est pris pour te donner la commission.

30 **FANCHETTE,** *naïvement.* Pas autrement que vous ne dites : « Tiens, petite Fanchette, rends cette épingle à ta belle cousine, et dis-lui seulement que c'est le cachet des grands marronniers. »

FIGARO. Des grands ?…

35 **FANCHETTE.** « Marronniers. » Il est vrai qu'il a ajouté : « Prends garde que personne ne te voie… »

FIGARO. Il faut obéir, ma cousine : heureusement personne ne vous a vue. Faites donc joliment votre commission, et n'en dites pas plus à Suzanne que Monseigneur n'a ordonné. 40

FANCHETTE. Et pourquoi lui en dirais-je ? Il me prend pour un enfant, mon cousin. *(Elle sort en sautant.)*

Scène 15   FIGARO, MARCELINE

FIGARO. Hé bien, ma mère ?

MARCELINE. Hé bien, mon fils ?

FIGARO, *comme étouffé.* Pour celui-ci !… il y a réellement des choses !…

MARCELINE. Il y a des choses ! Hé, qu'est-ce qu'il y a ? 5

FIGARO, *les mains sur la poitrine.* Ce que je viens d'entendre, ma mère, je l'ai là comme un plomb.

MARCELINE, *riant.* Ce cœur plein d'assurance n'était donc qu'un ballon gonflé ? une épingle a tout fait partir !

FIGARO, *furieux.* Mais cette épingle, ma mère, est celle 10 qu'il a ramassée !

MARCELINE, *rappelant ce qu'il a dit.* « La jalousie ! oh ! j'ai là-dessus, ma mère, une philosophie… imperturbable ; et si Suzanne m'attrape un jour, je le lui pardonne… »

FIGARO, *vivement.* Oh ! ma mère ! on parle comme on 15 sent : mettez le plus glacé des juges à plaider dans sa propre cause, et voyez-le expliquer la loi ! – Je ne m'étonne plus s'il avait tant d'humeur sur ce feu[1] ! – Pour la mignonne

---

1. **Feu :** feu d'artifice.

aux fines épingles, elle n'en est pas où elle le croit, ma mère,
20 avec ses marronniers ! Si mon mariage est assez fait pour
légitimer ma colère, en revanche il ne l'est pas assez pour
que je n'en puisse épouser une autre, et l'abandonner…

MARCELINE. Bien conclu ! Abîmons[1] tout sur un soupçon.
Qui t'a prouvé, dis-moi, que c'est toi qu'elle joue, et non le
25 Comte ? L'as-tu étudiée de nouveau, pour la condamner
sans appel ? Sais-tu si elle se rendra sous les arbres, à quelle
intention elle y va ? ce qu'elle y dira, ce qu'elle y fera ? Je te
croyais plus fort en jugement !

FIGARO, *lui baisant la main avec respect.* Elle a raison, ma
30 mère ; elle a raison, raison, toujours raison ! Mais accor-
dons, maman, quelque chose à la nature : on en vaut
mieux après. Examinons en effet avant d'accuser et d'agir.
Je sais où est le rendez-vous. Adieu, ma mère. *(Il sort.)*

Scène 16 Marceline, *seule*

Adieu. Et moi aussi, je le sais. Après l'avoir arrêté, veillons
sur les voies de Suzanne[2], ou plutôt avertissons-la ; elle est
si jolie créature ! Ah ! quand l'intérêt personnel ne nous
arme point les unes contre les autres, nous sommes toutes
5 portées à soutenir notre pauvre sexe opprimé contre ce
fier, ce terrible… *(en riant)* et pourtant un peu nigaud de
sexe masculin. *(Elle sort.)*

---

1. **Abîmons :** détruisons.
2. **Les voies de Suzanne :** les moyens dont use Suzanne.

Clefs d'analyse

Acte IV, scènes 1 et 2.

Compréhension

Un personnage dans tous ses états

• Observer l'évolution du l'humeur de Figaro.

Des effets de décalage

• Observer le décalage entre le sérieux de la cérémonie et le manque de dignité du Comte.

• Observer le décalage entre les réactions de Figaro et celles du spectateur qui comprend la situation (IV, 9).

Un langage comique

• Observer les effets comiques produits par les maladresses de langage du jardinier (IV, 5-6) et par la candeur de sa fille Fanchette (IV, 5 et 14).

Réflexion

Une tension dramatique et psychologique

• Expliquer l'effet produit par les nombreuses péripéties (querelle, débat, situation périlleuse, jalousie...).

• Analyser et interpréter la coexistence de registres variés : lyrique, comique, pathétique, polémique, satirique, etc.

Une comédie de mœurs

• Relever et interpréter l'abondance des réflexions d'ordre général (hasard, vérité, jalousie, bêtise masculine).

À retenir :

L'acte IV entretient une forte tension dramatique par de nombreuses péripéties et la déstabilisation notable d'un personnage qui est cette fois Figaro.

Synthèse Acte IV

Une noce insolite

Personnages

La méprise de Figaro

Figaro est le sujet – et le dindon – de la fable habilement développée à l'acte IV. Lui si lucide (IV, 1, 13), si habile manœuvrier (IV, 6), si observateur (IV, 9), et si volontiers railleur (IV, 10), le voilà euphorique à la scène 11. Mais c'est pour mieux tomber dans le piège de la jalousie lorsque Fanchette lui apprend qu'elle doit transmettre à Suzanne « le cachet des grands marronniers » (IV, 14). Dès lors, il perd le contrôle de la parole (« Une épingle : une épingle !... Et de quelle part, coquine ? À votre âge vous faites déjà un mét... ») et reste presque coi (« FIGARO, *comme étouffé*. Pour celui-ci !... Il y a réellement des choses !... »), avant d'aller, dans sa colère, jusqu'à remettre en cause son mariage. Mais sa « maman », en sage conseillère, lui recommande d'examiner la situation avant de condamner Suzanne. Une fois de plus, à la fin de l'acte, l'action est remise en jeu. Mais aussi le regard que l'on porte sur les personnages : jamais Figaro, si constamment opposé au Comte par la position sociale et le tempérament, ne s'en est autant rapproché.

Langage

Un mélange virtuose des registres

On retrouve dans cet acte le mélange des registres cher à Beaumarchais. Le lyrisme joyeux de la première scène se nourrit de motifs baroques : légende de l'amour aveugle, relativité de toute vérité si ce n'est en amour, qui n'est pas sans rappeler Shakespeare : « Doute que les étoiles soient du feu, / Doute de la vérité même, / Ne doute pas que je t'aime », *Hamlet* (II, 2). Figaro rappelle plus tard de façon inattendue et comique un épisode rabelaisien : « Pourquoi non ? la rage de sauter peut gagner : voyez les moutons de Panurge » (IV, 6) et se livre à une truculente joute verbale avec Bazile (IV, 10). La chanson de la noce est pleine d'ironie vis-à-vis du Comte : « les bienfaits et la gloire / D'un maître qui renonce aux droits qu'il eut sur vous » (IV, 9). Quant à celle de Bazile « Si l'Amour porte des ailes, / N'est-ce pas pour voltiger ? » (IV, 10), elle reprend non sans ironie l'allégorie de l'amour évoquée par Figaro à la première scène. Les propos de Fanchette sont d'une ironie cruelle (« Fanchette [...]. Il est vrai qu'il a ajouté : "Prends garde que personne ne te voie" », IV, 13) et l'exclamation de Figaro, pathétique (« Oh, ma mère : on parle comme on sent », IV, 15).

Société

Un rappel à l'ordre insistant

La cérémonie de noce, célébrée en présence du Comte, de la Comtesse et d'un groupe de jeunes filles en fleurs, s'accompagne de musique, de danses et d'un chant qui rend une nouvelle fois hommage au Comte pour avoir respecté l'abolition du droit du seigneur. Cette cérémonie répète donc en l'amplifiant celle du premier acte. Dans le deuxième acte, les valets du Comte et ses vassaux accompagnaient Marceline venue demander justice. Au troisième acte, le peuple vient assister au procès de Figaro. Chaque fois, des représentants du village entrent ainsi au château pour rappeler que celui-ci n'est pas un lieu de non-droit et que le seigneur doit respecter ses engagements vis-à-vis de ses vassaux. Mais les représentants du peuple seront-il toujours aussi candides qu'un chœur de jeunes filles ?

ACTE V

Scène 1 FANCHETTE *seule, tenant d'une main deux biscuits et une orange, et de l'autre une lanterne de papier allumée*

Le théâtre représente une salle de marronniers[1], dans un parc ; deux pavillons, kiosques, ou temples de jardin, sont à droite et à gauche ; le fond est une clairière ornée, un siège de gazon sur le devant. Le théâtre est obscur.

Dans le pavillon à gauche, a-t-il dit. C'est celui-ci. – S'il allait ne pas venir à présent ! mon petit rôle... Ces vilaines gens de l'office qui ne voulaient pas seulement me donner une orange et deux biscuits ! – Pour qui, mademoiselle ?
5 – Eh bien, monsieur, c'est pour quelqu'un. – Oh ! nous savons. – Et quand ça serait ? Parce que Monseigneur ne veut pas le voir, faut-il qu'il meure de faim ? – Tout ça pourtant m'a coûté un fier baiser sur la joue !... Que saiton ? il me le rendra peut-être. *(Elle voit Figaro qui vient*
10 *l'examiner ; elle fait un cri.)* Ah !... *(Elle s'enfuit, et elle entre dans le pavillon à sa gauche.)*

---

1. **Une salle de marronniers :** espace entouré de marronniers, dont les branches forment comme un plafond de verdure.

LE MARIAGE DE FIGARO.

FANCHETTE.

Tout ça pourtant m'a coûté un
fier baiser sur la joue!...

Acte V, Sc. I.

Fanchette.
Dessin de Émile Bayard.

Scène 2 FIGARO, *un grand manteau sur les épaules, un large chapeau rabattu.* BAZILE, ANTONIO, BARTHOLO, BRID'OISON, GRIPPE-SOLEIL, TROUPE DE VALETS ET DE TRAVAILLEURS

FIGARO, *d'abord seul.* C'est Fanchette ! *(Il parcourt des yeux les autres à mesure qu'ils arrivent, et dit d'un ton farouche :)* Bonjour, messieurs ; bonsoir ; êtes-vous tous ici ?

BAZILE. Ceux que tu as pressés d'y venir.

5 **FIGARO.** Quelle heure est-il bien à peu près ?

ANTONIO *regarde en l'air.* La lune devrait être levée.

BARTHOLO. Eh ! quels noirs apprêts fais-tu donc ? Il a l'air d'un conspirateur !

FIGARO, *s'agitant.* N'est-ce pas pour une noce, je vous 10 prie, que vous êtes rassemblés au château ?

BRID'OISON. Cè-ertainement.

ANTONIO. Nous allions là-bas, dans le parc, attendre un signal pour ta fête.

FIGARO. Vous n'irez pas plus loin, messieurs ; c'est ici, 15 sous ces marronniers, que nous devons tous célébrer l'honnête fiancée que j'épouse, et le loyal seigneur qui se l'est destinée.

BAZILE, *se rappelant la journée.* Ah ! vraiment, je sais ce que c'est. Retirons-nous, si vous m'en croyez : il est ques-20 tion d'un rendez-vous ; je vous conterai cela près d'ici.

BRID'OISON, *à Figaro.* Nou-ous reviendrons.

FIGARO. Quand vous m'entendrez appeler, ne manquez pas d'accourir tous ; et dites du mal de Figaro, s'il ne vous fait voir une belle chose.

BARTHOLO. Souviens-toi qu'un homme sage ne se fait point d'affaires[1] avec les Grands. ₂₅

FIGARO. Je m'en souviens.

BARTHOLO. Qu'ils ont quinze et bisque[2] sur nous, par leur état.

FIGARO. Sans leur industrie[3], que vous oubliez. Mais souvenez-vous aussi que l'homme qu'on sait timide est dans la dépendance de tous les fripons. ₃₀

BARTHOLO. Fort bien.

FIGARO. Et que j'ai nom *de Verte-Allure*, du chef honoré de ma mère[4]. ₃₅

BARTHOLO. Il a le diable au corps.

BRID'OISON. I-il l'a.

BAZILE, *à part.* Le Comte et sa Suzanne se sont arrangés sans moi ? Je ne suis pas fâché de l'algarade[5].

FIGARO, *aux valets.* Pour vous autres, coquins, à qui j'ai donné l'ordre, illuminez-moi ces entours ; ou, par la mort que je voudrais tenir aux dents, si j'en saisis un par le bras... *(Il secoue le bras de Grippe-Soleil.)* ₄₀

GRIPPE-SOLEIL *s'en va en criant et pleurant.* A, a, o, oh ! Damné brutal ! ₄₅

BAZILE, *en s'en allant.* Le ciel vous tienne en joie, monsieur du marié ! *(Ils sortent.)*

---

1. **Ne se fait point d'affaires :** n'entre pas en conflit.
2. **Quinze et bisque :** expression issue du jeu de paume et signifiant « l'avantage ».
3. **Industrie :** habileté, art que l'on déploie dans une intrigue.
4. **Du chef honoré de ma mère :** en vertu du droit à ce nom que détient ma mère.
5. **Algarade :** querelle.

Scène 3

FIGARO, *seul, se promenant dans l'obscurité, dit du ton le plus sombre :*

Ô femme ! femme ! femme ! créature faible et décevante !… nul animal créé ne peut manquer à son instinct : le tien est-il donc de tromper ?… Après m'avoir obstinément refusé quand je l'en pressais devant sa maîtresse ; à l'instant qu'elle
5   me donne sa parole ; au milieu même de la cérémonie… Il riait en lisant, le perfide ! et moi comme un benêt… Non, monsieur le Comte, vous ne l'aurez pas… vous ne l'aurez pas. Parce que vous êtes un grand seigneur, vous vous croyez un grand génie[1] !… Noblesse, fortune, un rang, des
10 places, tout cela rend si fier ! Qu'avez-vous fait pour tant de biens ? Vous vous êtes donné la peine de naître, et rien de plus. Du reste, homme assez ordinaire ; tandis que moi, morbleu ! perdu dans la foule obscure, il m'a fallu déployer plus de science et de calculs, pour subsister seulement,
15 qu'on n'en a mis depuis cent ans à gouverner toutes les Espagnes : et vous voulez jouter… On vient… c'est elle… ce n'est personne. – La nuit est noire en diable, et me voilà faisant le sot métier de mari, quoique je ne le sois qu'à moitié ! *(Il s'assied sur un banc.)* Est-il rien de plus bizarre que la des-
20 tinée ? Fils de je ne sais pas qui, volé par des bandits, élevé dans leurs mœurs, je m'en dégoûte et veux courir une carrière honnête ; et partout je suis repoussé ! J'apprends la chimie, la pharmacie, la chirurgie, et tout le crédit d'un grand seigneur peut à peine me mettre à la main une lancette[2]
25 vétérinaire ! – Las d'attrister des bêtes malades, et pour faire un métier contra...e, je me jette à corps perdu dans le théâtre : me fussé-je mis une pierre au cou ! Je broche[3] une

---

1. **Génie :** talent.
2. **Lancette :** instrument de chirurgie.
3. **Broche :** écris à la hâte.

comédie dans les mœurs du sérail[1]. Auteur espagnol, je crois pouvoir y fronder Mahomet sans scrupule : à l'instant, un envoyé... de je ne sais où se plaint que j'offense dans mes vers la Sublime Porte[2], la Perse, une partie de la presqu'île de l'Inde, toute l'Égypte, les royaumes de Barca[3], de Tripoli, de Tunis, d'Alger et de Maroc : et voilà ma comédie flambée, pour plaire aux princes mahométans, dont pas un, je crois, ne sait lire, et qui nous meurtrissent l'omoplate, en nous disant : « chiens de chrétiens ». – Ne pouvant avilir l'esprit, on se venge en le maltraitant. – Mes joues creusaient, mon terme était échu : je voyais de loin arriver l'affreux recors[4], la plume fichée dans sa perruque : en frémissant je m'évertue. Il s'élève une question[5] sur la nature des richesses ; et, comme il n'est pas nécessaire de tenir les choses pour en raisonner, n'ayant pas un sol, j'écris sur la valeur de l'argent et sur son produit net[6] : sitôt je vois du fond d'un fiacre baisser pour moi le pont d'un château fort, à l'entrée duquel je laissai l'espérance et la liberté[7] *(Il se lève.)* Que je voudrais bien tenir un de ces puissants de quatre jours, si légers sur le mal qu'ils ordonnent, quand une bonne disgrâce a cuvé son orgueil ! Je lui dirais... que les sottises imprimées n'ont d'importance qu'aux lieux où l'on en gêne le cours ; que, sans la liberté de blâmer, il n'est point d'éloge flatteur ; et qu'il n'y a que les petits hommes qui redoutent les petits écrits. *(Il se rassied.)* Las de nourrir un obscur pensionnaire, on me met

---

1. **Dans les mœurs du sérail :** à la mode orientale, alors très en vogue.
2. **La Sublime Porte :** l'Empire ottoman (1354-1918).
3. **Royaume de Barca :** actuelle Libye.
4. **Recors :** officier de justice chargé d'assister l'huissier lors des saisies.
5. **Une question :** un sujet de réflexion mis en concours par l'Académie.
6. **Produit net :** différence entre le produit de la vente et le montant total des frais de production, notion récemment élaborée par l'économiste Quesnay.
7. **Je laissai l'espérance et la liberté :** allusion à l'épigraphe sous laquelle Dante voit s'ouvrir la porte de l'Enfer dans *La Divine Comédie :* « Vous qui entrez, abandonnez toute espérance » (III, v. 9).

un jour dans la rue ; et comme il faut dîner, quoiqu'on ne
soit plus en prison, je taille encore ma plume, et demande à
55 chacun de quoi il est question : on me dit que, pendant ma
retraite économique[1], il s'est établi dans Madrid un système
de liberté sur la vente des productions, qui s'étend même à
celles de la presse ; et que, pourvu que je ne parle en mes
écrits ni de l'autorité, ni du culte, ni de la politique, ni de la
60 morale, ni des gens en place, ni des corps[2] en crédit, ni de
l'Opéra, ni des autres spectacles, ni de personne qui tienne à
quelque chose, je puis tout imprimer librement, sous l'ins-
pection de deux ou trois censeurs. Pour profiter de cette
douce liberté, j'annonce un écrit périodique, et, croyant n'al-
65 ler sur les brisées d'aucun autre[3], je le nomme *Journal inu-*
tile. Pou-ou ! je vois s'élever contre moi mille pauvres diables à la feuille[4] ; on me supprime ; et me voilà derechef
sans emploi ! – Le désespoir m'allait saisir ; on pense à moi
pour une place, mais par malheur j'y étais propre : il fallait
70 un calculateur, ce fut un danseur qui l'obtint. Il ne me res-
tait plus qu'à voler ; je me fais banquier de pharaon[5] : alors,
bonnes gens ? je soupe en ville, et les personnes dites
« comme il faut » m'ouvrent poliment leur maison[6], en rete-
nant pour elles les trois quarts du profit. J'aurais bien pu me
75 remonter ; je commençais même à comprendre que pour
gagner du bien, le savoir-faire vaut mieux que le savoir.
Mais comme chacun pillait autour de moi, en exigeant que
je fusse honnête, il fallut bien périr encore. Pour le coup je
quittais le monde, et vingt brasses d'eau allaient m'en sépa-
80 rer, lorsqu'un dieu bienfaisant m'appelle à mon premier

---

1. **Retraite économique** : autrement dit, la prison.
2. **Corps :** institutions comme le Parlement ou l'Église.
3. **N'aller sur les brisées d'aucun autre :** n'entrer en concurrence avec
   personne.
4. **Diables à la feuille :** écrivains de bas étage, payés à la feuille.
5. **Pharaon :** jeu de hasard.
6. **Leur maison :** où étaient donnés ces jeux.

état. Je reprends ma trousse et mon cuir anglais[1] ; puis, laissant la fumée aux sots qui s'en nourrissent, et la honte au milieu du chemin, comme trop lourde à un piéton, je vais rasant de ville en ville, et je vis enfin sans souci. Un grand seigneur passe à Séville ; il me reconnaît, je le marie ; et pour prix d'avoir eu par mes soins son épouse[2], il veut intercepter la mienne ! Intrigue, orage à ce sujet. Prêt à tomber dans un abîme, au moment d'épouser ma mère, mes parents m'arrivent à la file. *(Il se lève en s'échauffant.)* On se débat, c'est vous, c'est lui, c'est moi, c'est toi, non, ce n'est pas nous ; eh ! mais qui donc ? *(Il retombe assis.)* Ô bizarre suite d'événements ! Comment cela m'est-il arrivé ? Pourquoi ces choses et non pas d'autres ? Qui les a fixées sur ma tête ? Forcé de parcourir la route où je suis entré sans le savoir, comme j'en sortirai sans le vouloir, je l'ai jonchée d'autant de fleurs que ma gaieté me l'a permis : encore je dis ma gaieté sans savoir si elle est à moi plus que le reste, ni même quel est ce « moi » dont je m'occupe : un assemblage informe de parties inconnues ; puis un chétif être imbécile[3] ; un petit animal folâtre ; un jeune homme ardent au plaisir, ayant tous les goûts pour jouir, faisant tous les métiers pour vivre ; maître ici, valet là, selon qu'il plaît à la fortune ; ambitieux par vanité, laborieux par nécessité ; mais paresseux... avec délices ! orateur selon le danger ; poète par délassement ; musicien par occasion ; amoureux par folles bouffées, j'ai tout vu, tout fait, tout usé. Puis l'illusion s'est détruite et, trop désabusé... Désabusé... ! Suzon, Suzon, Suzon ! que tu me donnes de tourments !... J'entends marcher... on vient. Voici l'instant de la crise[4]. *(Il se retire près de la première coulisse à sa droite.)*

---

1. **Cuir anglais :** cuir servant à affûter le fil des rasoirs, matériel de barbier.
2. **Un grand seigneur... épouse :** résumé de l'intrigue du *Barbier de Séville*.
3. **Imbécile :** sans force.
4. **Crise :** moment dramatique, décisif.

Scène 4 Figaro, La Comtesse, *avec les habits de Suzon*, Suzanne *avec ceux de la Comtesse,* Marceline

Suzanne, *bas, à la Comtesse.* Oui, Marceline m'a dit que Figaro y serait.

Marceline. Il y est aussi ; baisse la voix.

Suzanne. Ainsi l'un nous écoute, et l'autre va venir me
5 chercher. Commençons.

Marceline. Pour n'en pas perdre un mot, je vais me cacher dans le pavillon. *(Elle entre dans le pavillon où est entrée Fanchette).*

Scène 5 Figaro, La Comtesse, Suzanne

Suzanne, *haut.* Madame tremble ! est-ce qu'elle aurait froid ?

La Comtesse, *haut.* La soirée est humide, je vais me retirer.

Suzanne, *haut.* Si Madame n'avait pas besoin de moi, je prendrais l'air un moment, sous ces arbres.

La Comtesse, *haut.* C'est le serein[1] que tu prendras.

Suzanne, *haut.* J'y suis toute faite.

Figaro, *à part.* Ah oui, le serein ! *(Suzanne se retire près de la coulisse, du côté opposé à Figaro.)*

---

1. **Serein :** fraîcheur des soirs d'été.

Scène 6 Figaro, Chérubin, Le Comte, La Comtesse, Suzanne

(Figaro et Suzanne retirés de chaque côté sur le devant.)

Chérubin, *en habit d'officier, arrive en chantant gaiement la reprise de l'air de la romance.*
La, la, la, etc.

> J'avais une marraine,
> Que toujours adorai.   5

La Comtesse, *à part.* Le petit page !

Chérubin *s'arrête.* On se promène ici ; gagnons vite mon asile, où la petite Fanchette… C'est une femme !

La Comtesse *écoute.* Ah grands dieux !

Chérubin *se baisse en regardant de loin.* Me trompé-je ?   10
à cette coiffure en plumes qui se dessine au loin dans le crépuscule, il me semble que c'est Suzon.

La Comtesse, *à part.* Si le Comte arrivait !… *(Le Comte paraît dans le fond.)*

Chérubin *s'approche et prend la main de la Comtesse qui*   15
se défend. Oui, c'est la charmante fille qu'on nomme Suzanne. Eh ! pourrais-je m'y méprendre à la douceur de cette main, à ce petit tremblement qui l'a saisie, surtout au battement de son cœur ! *(Il veut y appuyer le dos de la main de la Comtesse ; elle la retire.)*   20

La Comtesse, *bas.* Allez-vous-en !

Chérubin. Si la compassion t'avait conduite exprès dans cet endroit du parc, où je suis caché depuis tantôt ?…

La Comtesse. Figaro va venir.

Le Comte, *s'avançant, dit à part.* N'est-ce pas Suzanne   25
que j'aperçois ?

Chérubin, *à la Comtesse.* Je ne crains point du tout Figaro, car ce n'est pas lui que tu attends.

LA COMTESSE. Qui donc ?

30 **LE COMTE,** *à part.* Elle est avec quelqu'un.

CHÉRUBIN. C'est Monseigneur, friponne, qui t'a demandé ce rendez-vous ce matin, quand j'étais derrière le fauteuil.

LE COMTE, *à part, avec fureur.* C'est encore le page infernal !

FIGARO, *à part.* On dit qu'il ne faut pas écouter !

35 **SUZANNE,** *à part.* Petit bavard !

LA COMTESSE, *au page.* Obligez-moi de[1] vous retirer.

CHÉRUBIN. Ce ne sera pas au moins sans avoir reçu le prix de mon obéissance.

LA COMTESSE, *effrayée.* Vous prétendez ?…

40 **CHÉRUBIN,** *avec feu.* D'abord vingt baisers pour ton compte, et puis cent pour ta belle maîtresse.

LA COMTESSE. Vous oseriez ?…

CHÉRUBIN. Oh ! que oui, j'oserai. Tu prends sa place auprès de Monseigneur ; moi celle du Comte auprès de 45 toi ; le plus attrapé, c'est Figaro.

FIGARO, *à part.* Ce brigandeau !

SUZANNE, *à part.* Hardi comme un page. *(Chérubin veut embrasser la Comtesse ; le Comte se met entre deux et reçoit le baiser.)*

50 **LA COMTESSE,** *se retirant.* Ah ! ciel !

FIGARO, *à part, entendant le baiser.* J'épousais une jolie mignonne ! *(Il écoute.)*

CHÉRUBIN, *tâtant les habits du Comte. (À part.)* C'est Monseigneur ! *(Il s'enfuit dans le pavillon où sont entrées* 55 *Fanchette et Marceline.)*

---

1. **Obligez-moi de :** ayez l'obligeance de.

Scène 7 Figaro, Le Comte, La Comtesse, Suzanne

Figaro *s'approche.* Je vais…

Le Comte, *croyant parler au page.* Puisque vous ne redoublez pas le baiser… *(Il croit lui donner un soufflet.)*

Figaro *qui est à portée, le reçoit.* Ah !

Le Comte. … Voilà toujours le premier payé. 5

Figaro, *à part, s'éloigne en se frottant la joue.* Tout n'est pas gain non plus en écoutant.

Suzanne, *riant tout haut, de l'autre côté.* Ah ! ah ! ah ! ah !

Le Comte, *à la Comtesse, qu'il prend pour Suzanne.* Entend-on quelque chose à ce page ? il reçoit le plus rude 10 soufflet, et s'enfuit en éclatant de rire.

Figaro, *à part.* S'il s'affligeait de celui-ci !…

Le Comte. Comment ! je ne pourrai faire un pas… *(À la Comtesse.)* Mais laissons cette bizarrerie ; elle empoisonnerait le plaisir que j'ai de te trouver dans cette salle. 15

La Comtesse, *imitant le parler de Suzanne.* L'espériez-vous ?

Le Comte. Après ton ingénieux billet ! *(Il lui prend la main.)* Tu trembles ?

La Comtesse. J'ai eu peur. 20

Le Comte. Ce n'est pas pour te priver du baiser que je l'ai pris. *(Il la baise au front.)*

La Comtesse. Des libertés !

Figaro, *à part.* Coquine !

Suzanne, *à part.* Charmante ! 25

Le Comte *prend la main de sa femme.* Mais quelle peau fine et douce, et qu'il s'en faut que la Comtesse ait la main aussi belle !

Figaro : « Tout n'est pas gain non plus en écoutant »,
acte V, scène 7. Gravure de Maleuvre.

LA COMTESSE, *à part.* Oh ! la prévention[1] !

LE COMTE. A-t-elle ce bras ferme et rondelet ! ces jolis   30
doigts pleins de grâce et d'espièglerie ?

LA COMTESSE, *de la voix de Suzanne.* Ainsi l'amour…

LE COMTE. L'amour… n'est que le roman du cœur : c'est
le plaisir qui en est l'histoire ; il m'amène à tes genoux.

LA COMTESSE. Vous ne l'aimez plus ?   35

LE COMTE. Je l'aime beaucoup ; <u>mais trois ans d'union</u>
<u>rendent l'hymen si respectable</u> !

LA COMTESSE. Que vouliez-vous en elle ?

LE COMTE, *la caressant.* Ce que je trouve en toi, ma
beauté…   40

LA COMTESSE. Mais dites donc.

LE COMTE. … Je ne sais : moins d'uniformité peut-être,
plus de piquant dans les manières, un je ne sais quoi qui
fait le charme ; quelquefois un refus : que sais-je ? Nos
femmes croient tout accomplir en nous aimant : cela dit   45
une fois, elles nous aiment, nous aiment (quand elles nous
aiment) et sont si complaisantes et si constamment obli-
geantes, et toujours, et sans relâche, qu'on est tout surpris,
un beau soir, de trouver <u>la satiété</u> où l'on recherchait le
bonheur !   50

LA COMTESSE, *à part.* Ah ! quelle leçon !

LE COMTE. En vérité, Suzon, j'ai pensé mille fois que si
nous poursuivons ailleurs ce plaisir qui nous fuit chez
elles, c'est qu'elles n'étudient pas assez l'art de soutenir
notre goût, de se renouveler à l'amour, de ranimer, pour   55
ainsi dire, le charme de leur possession par celui de la
variété.

LA COMTESSE, *piquée.* Donc elles doivent tout ?…

---

1. **Prévention :** préjugé.

LE COMTE, *riant.* Et l'homme rien ? Changerons-nous la
60 marche de la nature ? Notre tâche, à nous, fut de les obtenir ; la leur…

LA COMTESSE. La leur ?…

LE COMTE. Est de nous retenir : on l'oublie trop.

LA COMTESSE. Ce ne sera pas moi.

65 **LE COMTE.** Ni moi.

FIGARO, *à part.* Ni moi.

SUZANNE, *à part.* Ni moi.

LE COMTE *prend la main de sa femme.* Il y a de l'écho ici,
parlons plus bas. Tu n'as nul besoin d'y songer, toi que
70 l'amour a faite et si vive et si jolie ! Avec un grain de
caprice tu seras la plus agaçante[1] maîtresse ! *(Il la baise au
front.)* Ma Suzanne, un Castillan n'a que sa parole. Voici
tout l'or promis pour le rachat du droit que je n'ai plus sur
le délicieux moment que tu m'accordes. Mais comme la
75 grâce que tu daignes y mettre est sans prix, j'y joindrai ce
brillant, que tu porteras pour l'amour de moi.

LA COMTESSE, *une révérence.* Suzanne accepte tout.

FIGARO, *à part.* On n'est pas plus coquine que cela.

SUZANNE, *à part.* Voilà du bon bien qui nous arrive.

80 **LE COMTE,** *à part.* Elle est intéressée : tant mieux !

LA COMTESSE *regarde au fond.* Je vois des flambeaux.

LE COMTE. Ce sont les apprêts de ta noce : entrons-nous
un moment dans l'un de ces pavillons, pour les laisser passer ?

LA COMTESSE. Sans lumière ?

85 **LE COMTE** *l'entraîne doucement.* À quoi bon ? Nous
n'avons rien à lire.

FIGARO, *à part.* Elle y va, ma foi ! Je m'en doutais. *(Il s'avance.)*

---

1. **Agaçante :** excitante, piquante.

LE COMTE *grossit sa voix en se retournant.* Qui passe ici ?

FIGARO, *en colère.* Passer ! on vient exprès.

LE COMTE, *bas, à la Comtesse.* C'est Figaro !… *(Il s'enfuit.)* 90

LA COMTESSE. Je vous suis. *(Elle entre dans le pavillon à sa droite, pendant que le Comte se perd dans le bois, au fond.)*

Scène 8 FIGARO, SUZANNE, *dans l'obscurité*

FIGARO *cherche à voir où vont le Comte et la Comtesse qu'il prend pour Suzanne.* Je n'entends plus rien ; ils sont entrés ; m'y voilà. *(D'un ton altéré.)* Vous autres, époux maladroits, qui tenez des espions à gages et tournez des mois entiers autour d'un soupçon, sans l'asseoir[1], que ne m'imitez-vous ? 5 Dès le premier jour, je suis ma femme et je l'écoute ; en un tour de main, on est au fait : c'est charmant ; plus de doutes ; on sait à quoi s'en tenir. *(Marchant vivement.)* Heureusement que je ne m'en soucie guère, et que sa trahison ne me fait plus rien du tout. Je les tiens donc enfin ! 10

SUZANNE, *qui s'est avancée doucement dans l'obscurité. (À part.)* Tu vas payer tes beaux soupçons. *(Du ton de voix de la Comtesse.)* Qui va là ?

FIGARO, *extravagant.* « Qui va là ? » Celui qui voudrait de bon cœur que la peste eût étouffé en naissant… 15

SUZANNE, *du ton de la Comtesse.* Eh ! mais, c'est Figaro !

FIGARO *regarde et dit vivement.* Madame la Comtesse !

SUZANNE. Parlez bas.

FIGARO, *vite.* Ah ! Madame, que le ciel vous amène à propos ! Où croyez-vous qu'est Monseigneur ? 20

---

1. **L'asseoir :** l'établir sur des bases sûres.

SUZANNE. Que m'importe un ingrat ? Dis-moi…

FIGARO, *plus vite.* Et Suzanne, mon épousée, où croyez-vous qu'elle soit ?

SUZANNE. Mais parlez bas !

25 **FIGARO,** *très vite.* Cette Suzon qu'on croyait si vertueuse, qui faisait la réservée ! Ils sont enfermés là-dedans. Je vais appeler.

SUZANNE, *lui fermant la bouche avec sa main, oublie de déguiser sa voix.* N'appelez pas !

30 **FIGARO,** *à part.* Eh c'est Suzon ! *God-dam !*

SUZANNE, *du ton de la Comtesse.* Vous paraissez inquiet.

FIGARO, *à part.* Traîtresse ! qui veut me surprendre !

SUZANNE. Il faut nous venger, Figaro.

FIGARO. En sentez-vous le vif désir ?

35 **SUZANNE.** Je ne serais donc pas de mon sexe ! Mais les hommes en ont cent moyens.

FIGARO, *confidemment.* Madame, il n'y a personne ici de trop. Celui des femmes… les vaut tous.

SUZANNE, *à part.* Comme je le souffletterais !

40 **FIGARO,** *à part.* Il serait bien gai qu'avant la noce…

SUZANNE. Mais qu'est-ce qu'une telle vengeance, qu'un peu d'amour n'assaisonne pas ?

FIGARO. Partout où vous n'en voyez point, croyez que le respect dissimule[1].

45 **SUZANNE,** *piquée.* Je ne sais si vous le pensez de bonne foi, mais vous ne le dites pas de bonne grâce.

FIGARO, *avec une chaleur comique, à genoux.* Ah ! Madame, je vous adore. Examinez le temps, le lieu, les circonstances, et que le dépit supplée en vous aux grâces qui 50 manquent à ma prière.

SUZANNE, *à part.* La main me brûle !

---

1. **Le respect dissimule :** le respect oblige à dissimuler, quand on aime au-dessus de sa condition.

FIGARO, *à part.* Le cœur me bat.

SUZANNE. Mais, monsieur, avez-vous songé ?...

FIGARO. Oui, Madame ; oui, j'ai songé.

SUZANNE. ... Que pour la colère et l'amour... 55

FIGARO. ... Tout ce qui se diffère est perdu. Votre main, Madame ?

SUZANNE, *de sa voix naturelle et lui donnant un soufflet.* La voilà.

FIGARO. Ah ! *Demonio*[1] ! quel soufflet ! 60

SUZANNE *lui en donne un second.* Quel soufflet ! Et celui-ci ?

FIGARO. Et *qu'es aquo ?*[2] de par le diable ! est-ce ici la journée des tapes ?

SUZANNE *le bat à chaque phrase.* Ah ! *qu'es aquo ?* Suzanne ; et voilà pour tes soupçons, voilà pour tes vengeances et 65 pour tes trahisons, tes expédients, tes injures et tes projets. C'est-il çà de l'amour ? dis donc comme ce matin ?

FIGARO *rit en se relevant. Santa Barbara* ! oui c'est de l'amour. Ô bonheur ! ô délices ! ô cent fois heureux Figaro ! Frappe, ma bien-aimée, sans te lasser. Mais quand 70 tu m'auras diapré tout le corps de meurtrissures, regarde avec bonté, Suzon, l'homme le plus fortuné qui fut jamais battu par une femme.

SUZANNE. « Le plus fortuné ! » Bon fripon, vous n'en séduisiez pas moins la Comtesse, avec un si trompeur 75 babil, que m'oubliant moi-même, en vérité, c'était pour elle que je cédais.

FIGARO. Ai-je pu me méprendre au son de ta jolie voix ?

SUZANNE, *en riant.* Tu m'as reconnue ? Ah ! comme je m'en vengerai ! 80

---

1. **Demonio** : diable, juron espagnol.
2. **Qu'es aquo ?** : qu'est-ce que c'est ? expression provençale que Beaumarchais avait déjà employée à la fin du portrait burlesque du conseiller provençal Marin dans son *IVe Mémoire* contre Goëzman. Cette expression devint aussitôt célèbre.

FIGARO. Bien rosser et garder rancune est aussi par trop féminin ! Mais dis-moi donc par quel bonheur je te vois là, quand je te croyais avec lui ; et comment cet habit, qui m'abusait, te montre enfin innocente...

85 **SUZANNE.** Eh ! c'est toi qui es un innocent, de venir te prendre au piège apprêté pour un autre ! Est-ce notre faute à nous, si voulant museler un renard, nous en attrapons deux ?

FIGARO. Qui donc prend l'autre ?

90 **SUZANNE.** Sa femme.

FIGARO. Sa femme ?

SUZANNE. Sa femme.

FIGARO, *follement.* Ah ! Figaro ! pends-toi ! tu n'as pas deviné celui-là ! – Sa femme ! – Oh ! douze ou quinze mille
95 fois spirituelles femelles ! – Ainsi les baisers de cette salle ?...

SUZANNE. Ont été donnés à Madame.

FIGARO. Et celui du page ?

SUZANNE, *riant.* À Monsieur.

FIGARO. Et tantôt, derrière le fauteuil ?

100 **SUZANNE.** À personne.

FIGARO. En êtes-vous sûre ?

SUZANNE, *riant.* Il pleut des soufflets, Figaro.

FIGARO *lui baise la main.* Ce sont des bijoux que les tiens. Mais celui du Comte était de bonne guerre.

105 **SUZANNE.** Allons, superbe[1], humilie-toi !

FIGARO *fait tout ce qu'il annonce.* Cela est juste : à genoux, bien courbé, prosterné, ventre à terre.

SUZANNE, *en riant.* Ah ! ce pauvre Comte ! quelle peine il s'est donnée...

110 **FIGARO** *se relève sur ses genoux.* ... Pour faire la conquête de sa femme !

---

1. **Superbe :** orgueilleux.

Scène 9 LE COMTE *entre par le fond du théâtre et va droit au pavillon à sa droite* ; FIGARO, SUZANNE

LE COMTE, *à lui-même.* Je la cherche en vain dans le bois, elle est peut-être entrée ici.

SUZANNE, *à Figaro, parlant bas.* C'est lui.

LE COMTE, *ouvrant le pavillon.* Suzon, es-tu là-dedans ?

FIGARO, *bas.* Il la cherche, et moi je croyais…   5

SUZANNE, *bas.* Il ne l'a pas reconnue.

FIGARO. Achevons-le, veux-tu ? *(Il lui baise la main.)*

LE COMTE *se retourne.* Un homme aux pieds de la Comtesse !… Ah ! je suis sans armes. *(Il s'avance.)*

FIGARO *se relève tout à fait en déguisant sa voix.* Pardon, 10
Madame, si je n'ai pas réfléchi que ce rendez-vous ordinaire était destiné pour la noce.

LE COMTE, *à part.* C'est l'homme du cabinet de ce matin. *(Il se frappe le front.)*

FIGARO *continue.* Mais il ne sera pas dit qu'un obstacle 15
aussi sot aura retardé nos plaisirs.

LE COMTE, *à part.* Massacre ! mort ! enfer !

FIGARO, *la conduisant au cabinet. (Bas.)* Il jure. *(Haut.)*
Pressons-nous donc, Madame, et réparons le tort qu'on nous a fait tantôt, quand j'ai sauté par la fenêtre.   20

LE COMTE, *à part.* Ah ! tout se découvre enfin.

SUZANNE, *près du pavillon à sa gauche.* Avant d'entrer, voyez si personne n'a suivi. *(Il la baise au front.)*

LE COMTE *s'écrie.* Vengeance ! *(Suzanne s'enfuit dans le pavillon où sont entrés Fanchette, Marceline et Chérubin.)*   25

Scène 10
LE COMTE, FIGARO *(Le Comte saisit le bras de Figaro.)*

FIGARO, *jouant la frayeur excessive.* C'est mon maître !

LE COMTE *le reconnaît.* Ah ! scélérat, c'est toi ! Holà ! quelqu'un ! quelqu'un !

Scène 11
PÉDRILLE, LE COMTE, FIGARO

PÉDRILLE, *botté.* Monseigneur, je vous trouve enfin.

LE COMTE. Bon, c'est Pédrille. Es-tu tout seul ?

PÉDRILLE. Arrivant de Séville, à étripe-cheval.

LE COMTE. Approche-toi de moi, et crie bien fort !

5 **PÉDRILLE,** *criant à tue-tête.* Pas plus de page que sur ma main. Voilà le paquet[1].

LE COMTE *le repousse.* Eh ! l'animal !

PÉDRILLE. Monseigneur me dit de crier.

LE COMTE, *tenant toujours Figaro.* Pour appeler. – Holà, quelqu'un ! si l'on m'entend, accourez tous !

10 **PÉDRILLE.** Figaro et moi, nous voilà deux ; que peut-il donc vous arriver ?

---

1. **Paquet :** contenant le brevet de Chérubin.

Scène 12 LES ACTEURS PRÉCÉDENTS, BRID'OISON, BARTHOLO, BAZILE, ANTONIO, GRIPPE-SOLEIL, *toute la noce accourt avec des flambeaux*

BARTHOLO, *à Figaro.* Tu vois qu'à ton premier signal...

LE COMTE, *montrant le pavillon à sa gauche.* Pédrille, empare-toi de cette porte. *(Pédrille y va.)*

BAZILE, *bas à Figaro.* Tu l'as surpris avec Suzanne ?

LE COMTE, *montrant Figaro.* Et vous tous, mes vassaux, 5 entourez-moi cet homme, et m'en répondez sur la vie.

BAZILE. Ha ! ha !

LE COMTE, *furieux.* Taisez-vous donc. *(À Figaro d'un ton glacé.)* Mon cavalier, répondez-vous à mes questions ?

FIGARO, *froidement.* Eh ! qui pourrait m'en exempter, 10 Monseigneur ? Vous commandez à tout ici, hors à vous-même.

LE COMTE, *se contenant.* Hors à moi-même !

ANTONIO. C'est ça parler.

LE COMTE, *reprenant sa colère.* Non, si quelque chose pou- 15 vait augmenter ma fureur, ce serait l'air calme qu'il affecte.

FIGARO. Sommes-nous des soldats qui tuent et se font tuer pour des intérêts qu'ils ignorent ? Je veux savoir, moi, pourquoi je me fâche.

LE COMTE, *hors de lui.* Ô rage ! *(Se contenant.)* Homme de 20 bien qui feignez d'ignorer, nous ferez-vous au moins la faveur de nous dire quelle est la dame actuellement par vous amenée dans ce pavillon ?

FIGARO, *montrant l'autre avec malice.* Dans celui-là ?

LE COMTE, *vite.* Dans celui-ci. 25

FIGARO, *froidement.* C'est différent. Une jeune personne qui m'honore de ses bontés particulières.

BAZILE, *étonné.* Ha, ha !

LE COMTE, *vite.* Vous l'entendez, messieurs ?

30 **BARTHOLO** *étonné.* Nous l'entendons !

LE COMTE, *à Figaro.* Et cette jeune personne a-t-elle un autre engagement que vous sachiez ?

FIGARO, *froidement.* Je sais qu'un grand seigneur s'en est occupé quelque temps, mais, soit qu'il l'ait négligée ou

35 que je lui plaise mieux qu'un plus aimable, elle me donne aujourd'hui la préférence.

LE COMTE, *vivement.* La préf.. *(Se contenant.)* Au moins il est naïf ! car ce qu'il avoue, messieurs, je l'ai ouï, je vous jure, de la bouche même de sa complice.

40 **BRID'OISON,** s*tupéfait.* Sa-a complice !

LE COMTE, *avec fureur.* Or, quand le déshonneur est public, il faut que la vengeance le soit aussi. *(Il entre dans le pavillon.)*

Scène 13   Tous les acteurs précédents, *hors* Le Comte

ANTONIO. C'est juste.

BRID'OISON, *à Figaro.* Qui-i donc a pris la femme de l'autre ?

FIGARO, *en riant.* Aucun n'a eu cette joie-là.

Scène 14 LES ACTEURS PRÉCÉDENTS, LE COMTE, CHÉRUBIN

LE COMTE, *parlant dans le pavillon, et attirant quelqu'un qu'on ne voit pas encore.* Tous vos efforts sont inutiles ; vous êtes perdue, madame, et votre heure est bien arrivée ! *(Il sort sans regarder.)* Quel bonheur qu'aucun gage d'une union aussi détestée…   5

FIGARO *s'écrie.* Chérubin !

LE COMTE. Mon page ?

BAZILE. Ha, ha !

LE COMTE, *hors de lui, à part.* Et toujours le page endiablé ! *(À Chérubin.)* Que faisiez-vous dans ce salon ?   10

CHÉRUBIN, *timidement.* Je me cachais, comme vous l'avez ordonné.

PÉDRILLE. Bien la peine de crever un cheval !

LE COMTE. Entres-y, toi, Antonio ; conduis devant son juge l'infâme qui m'a déshonoré.   15

BRID'OISON. C'est Madame que vous y-y cherchez ?

ANTONIO. L'y a, parguenne : une bonne Providence : vous en avez tant fait dans le pays…

LE COMTE, *furieux.* Entre donc ! *(Antonio entre.)*

Scène 15 LES ACTEURS PRÉCÉDENTS, *excepté* ANTONIO

LE COMTE. Vous allez voir, messieurs, que le page n'y était pas seul.

CHÉRUBIN, *timidement.* Mon sort eût été trop cruel, si quelque âme sensible n'en eût adouci l'amertume.

Scène 16 LES ACTEURS PRÉCÉDENTS, ANTONIO, FANCHETTE

ANTONIO, *attirant par le bras quelqu'un qu'on ne voit pas encore.* Allons, Madame, il ne faut pas vous faire prier pour en sortir, puisqu'on sait que vous y êtes entrée.

FIGARO *s'écrie.* La petite cousine !

5 **BAZILE.** Ha, ha !

LE COMTE. Fanchette !

ANTONIO *se retourne et s'écrie.* Ah ! palsambleu, Monseigneur, il est gaillard de[1] me choisir pour montrer à la compagnie que c'est ma fille qui cause tout ce train-là !

10 **LE COMTE,** *outré.* Qui la savait là-dedans ? *(Il veut rentrer.)*

BARTHOLO, *au-devant.* Permettez, monsieur le Comte, ceci n'est pas plus clair. Je suis de sang-froid, moi…*(Il entre.)*

BRID'OISON. Voilà une affaire au-aussi trop embrouillée.

---

1. **Il est gaillard de :** il est hardi de.

Scène 17 LES ACTEURS PRÉCÉDENTS, MARCELINE

BARTHOLO, *parlant en dedans, et sortant.* Ne craignez rien, Madame, il ne vous sera fait aucun mal. J'en réponds. *(Il se retourne et s'écrie :)* Marceline !

BAZILE. Ha, ha !

FIGARO, *riant.* Hé, quelle folie ! ma mère en est ?   5

ANTONIO. À qui pis fera.

LE COMTE, *outré.* Que m'importe à moi ? La Comtesse…

Scène 18 LES ACTEURS PRÉCÉDENTS, SUZANNE, *son éventail sur le visage*

LE COMTE. … Ah ! la voici qui sort. *(Il la prend violemment par le bras.)* Que croyez-vous, messieurs, que mérite une odieuse…

SUZANNE *se jette à genoux la tête baissée.*

LE COMTE. Non, non !   5

FIGARO *se jette à genoux de l'autre côté.*

LE COMTE, *plus fort.* Non, non !

MARCELINE *se jette à genoux devant lui.*

LE COMTE, *plus fort.* Non, non !

TOUS *se mettent à genoux, excepté Brid'oison.*   10

LE COMTE, *hors de lui.* Y fussiez-vous un cent !

Illustration de la scène dernière,
par Gauthier Aimé.

Scène 19 et dernière

TOUS LES ACTEURS
PRÉCÉDENTS, LA COMTESSE
sort de l'autre pavillon

LA COMTESSE *se jette à genoux.* Au moins je ferai nombre.

LE COMTE, *regardant la Comtesse et Suzanne.* Ah ! qu'est-ce que je vois ?

BRID'OISON, *riant.* Eh ! pardi, c'è-est Madame.

LE COMTE *veut relever la Comtesse.* Quoi, c'était vous, ⁵ Comtesse ? *(D'un ton suppliant.)* Il n'y a qu'un pardon bien généreux...

LA COMTESSE, *en riant.* Vous diriez : « Non, non », à ma place ; et moi, pour la troisième fois d'aujourd'hui, je l'accorde sans condition. *(Elle se relève.)* ₁₀

SUZANNE *se relève.* Moi aussi.

MARCELINE *se relève.* Moi aussi.

FIGARO *se relève.* Moi aussi ; il y a de l'écho ici ! *(Tous se relèvent.)*

LE COMTE. De l'écho ! – J'ai voulu ruser avec eux ; ils m'ont traité comme un enfant ! ₁₅

LA COMTESSE, *en riant.* Ne le regrettez pas, monsieur le Comte.

FIGARO, *s'essuyant les genoux avec son chapeau.* Une petite journée comme celle-ci forme bien un ambassadeur !

LE COMTE, *à Suzanne.* Ce billet fermé d'une épingle ?... ₂₀

SUZANNE. C'est Madame qui l'avait dicté.

LE COMTE. La réponse lui en est bien due. *(Il baise la main de la Comtesse.)*

LA COMTESSE. Chacun aura ce qui lui appartient. *(Elle donne la bourse à Figaro et le diamant à Suzanne.)* ₂₅

SUZANNE, *à Figaro.* Encore une dot !

FIGARO, *frappant la bourse dans sa main.* Et de trois.
Celle-ci fut rude à arracher !

SUZANNE. Comme notre mariage.

30 **GRIPPE-SOLEIL.** Et la jarretière[1] de la mariée, l'aurons-je ?

LA COMTESSE *arrache le ruban qu'elle a tant gardé dans
son sein et le jette à terre.* La jarretière ? Elle était avec ses
habits ; la voilà. *(Les garçons de la noce veulent la ramasser.)*

CHÉRUBIN, *plus alerte, court la prendre et dit :* Que celui
35 qui la veut vienne me la disputer !

LE COMTE, *en riant, au page.* Pour un monsieur si cha-
touilleux, qu'avez-vous trouvé de gai à certain soufflet de
tantôt ?

CHÉRUBIN *recule en tirant à moitié son épée.* À moi, mon
40 Colonel ?

FIGARO, *avec une colère comique.* C'est sur ma joue qu'il
l'a reçu : voilà comme les grands font justice !

LE COMTE, *riant.* C'est sur sa joue ? Ah ! ah ! ah ! qu'en
dites-vous donc, ma chère Comtesse !

45 **LA COMTESSE**, *absorbée, revient à elle et dit avec sensibilité :* Ah ! oui, cher Comte, et pour la vie, sans distraction,
je vous le jure.

LE COMTE, *frappant sur l'épaule du juge.* Et vous, don
Brid'oison, votre avis maintenant ?

50 **BRID'OISON.** Su-ur tout ce que je vois, monsieur le
Comte ?... Ma-a foi, pour moi, je-e ne sais que vous dire :
voilà ma façon de penser.

TOUS ENSEMBLE. Bien jugé !

FIGARO. J'étais pauvre, on me méprisait. J'ai montré quelque
55 esprit, la haine est accourue. Une jolie femme et de la fortune...

---

1. **Jarretière :** ruban entourant les bas pour les faire tenir, et que la
mariée avait coutume de jeter pour porter chance à celui qui l'attrapait.

BARTHOLO, *en riant.* Les cœurs vont te revenir en foule.

FIGARO. Est-il possible ?

BARTHOLO. Je les connais.

FIGARO, *saluant les spectateurs.* Ma femme et mon bien mis à part, tous me feront honneur et plaisir. *(On joue la* 60 *ritournelle du vaudeville. Air noté.)*

VAUDEVILLE

PREMIER COUPLET

BAZILE

Triple dot, femme superbe,
Que de biens pour un époux !
D'un seigneur, d'un page imberbe,
Quelque sot serait jaloux. 65
Du latin d'un vieux proverbe
L'homme adroit fait son parti.

FIGARO

Je le sais… *(Il chante.)*
  Gaudeant bene nati.[1]

BAZILE

Non… *(Il chante.)* 70
  Gaudeant bene nati.

---

1. **Gaudeant bene nati** : heureux les gens bien nés, en latin.

DEUXIÈME COUPLET

SUZANNE

Qu'un mari sa foi trahisse,
Il s'en vante, et chacun rit :
Que sa femme ait un caprice,
S'il l'accuse on la punit.
De cette absurde injustice
Faut-il dire le pourquoi ?
Les plus forts ont fait la loi. (Bis.)

TROISIÈME COUPLET

FIGARO

Jean Jeannot[1], jaloux risible,
Veut unir femme et repos ;
Il achète un chien terrible,
Et le lâche en son enclos.
La nuit, quel vacarme horrible !
Le chien court, tout est mordu,
Hors l'amant qui l'a vendu. (Bis.)

QUATRIÈME COUPLET

LA COMTESSE

Telle est fière et répond d'elle,
Qui n'aime plus son mari ;
Telle autre, presque infidèle,
Jure de n'aimer que lui.
La moins folle, hélas ! est celle
Qui se veille en son lien,
Sans oser jurer de rien. (Bis.)

---

1. **Jean Jeannot :** personnage de fabliau médiéval.

CINQUIÈME COUPLET

LE COMTE

D'une femme de province,
À qui ses devoirs sont chers, 95
Le succès est assez mince ;
Vive la femme aux bons airs !
Semblable à l'écu du prince,
Sous le coin[1] *d'un seul époux,*
Elle sert au bien de tous. (Bis.) 100

SIXIÈME COUPLET

MARCELINE

Chacun sait la tendre mère
Dont il a reçu le jour ;
Tout le reste est un mystère,
C'est le secret de l'amour.

FIGARO *continue l'air*

Ce secret met en lumière 105
Comment le fils d'un butor
Vaut souvent son pesant d'or. (Bis.)

SEPTIÈME COUPLET

Par le sort de la naissance,
L'un est roi, l'autre est berger :
Le hasard fit leur distance ; 110
L'esprit seul peut tout changer.
De vingt rois que l'on encense,
Le trépas brise l'autel ;
Et Voltaire est immortel. (Bis.)

---

1. **Coin :** sceau.

HUITIÈME COUPLET

CHÉRUBIN

115   *Sexe aimé, sexe volage,*
Qui tourmentez nos beaux jours,
Si de vous chacun dit rage,
Chacun vous revient toujours.
Le parterre est votre image :
120   *Tel paraît le dédaigner,*
Qui fait tout pour le gagner. (Bis.)

NEUVIÈME COUPLET

SUZANNE

Si ce gai, ce fol ouvrage,
Renfermait quelque leçon,
125   *En faveur du badinage,*
Faites grâce à la raison.[1]
Ainsi la nature sage
Nous conduit, dans nos désirs,
À son but par les plaisirs. (Bis.)

DIXIÈME COUPLET

BRID'OISON

130   *Or, messieurs, la co-omédie*
Que l'on juge en cè-et instant
Sauf erreur, nous pein-eint la vie
Du bon peuple qui l'entend.
Qu'on l'opprime, il peste, il crie,
135   *Il s'agite en cent fa-açons :*
Tout fini-it par des chansons. (Bis.)

BALLET GÉNÉRAL

FIN

---

1. **En faveur du badinage, / Faites grâce à la raison :** excusez la leçon morale puisque vous vous êtes amusés.

Clefs d'analyse

Acte V.

Compréhension

Une action efficace

- Observer les principales étapes de la machination montée contre le Comte (V, 2, 4-9) et ses échecs successifs (V, 14-19).
- Observer le rôle capital joué par Suzanne (V, 4, 5, 8, 9, 18) et la Comtesse (V, 4-7 et 19), dans la duperie du comte.
- Observer l'importance symbolique du peuple, visible dans les didascalies (V, 2 et 12-19) et une unique réplique.

Un personnage hors normes

- Relever les éléments qui font de Figaro un personnage de roman et les éléments autobiographiques (V, 3).

Un comique de répétition

- Observer l'efficacité comique des actions qui se répètent.

Réflexion

Une comédie impitoyable

- Analyser le comique grinçant des scènes de théâtre dans le théâtre (V, 6-9).

Une scène significative

- Expliquer l'importance par rapport à l'ensemble de la pièce de l'inversion des rapports de force entre Figaro et le Comte (V, 12).

Une pièce révolutionnaire ?

- Expliquer en quoi le monologue de Figaro et le vaudeville constituent une leçon politique et sociale.

À retenir :

En accumulant péripéties et quiproquos, Beaumarchais réussit à retarder jusqu'à la dernière scène un dénouement qui correspond aux exigences de la comédie puisqu'il est heureux, mais qui ne dissipe pourtant pas toutes les interrogations.

Synthèse Acte V

L'harmonie retrouvée ?

Personnages

Un dénouement incomplet

Le cinquième acte se joue dans une alcôve végétale noyée d'obscurité. De ces rencontres prévues et imprévues, Chérubin sort un peu plus avancé dans son initiation amoureuse, la Comtesse blessée, le Comte encore plus furieux et avide de vengeance, Figaro et Suzanne réconciliés et à nouveaux ligués contre le Comte. Lorsque ensuite la lumière se fait, justice est rendue : le Comte, humilié, se repent publiquement, Figaro triomphe et empoche une dot supplémentaire. Une fin heureuse en somme, où la justice et les couples sont saufs. Mais reste dans l'ombre ce qui n'a rien à voir avec le droit : l'amour. Qu'adviendra-t-il de Chérubin et de son penchant pour la Comtesse ? Le couple seigneurial restera-t-il uni ?

Langage

Des effets redoublés

L'obscurité multiplie les pouvoirs du langage. La Comtesse et Suzanne contrefont leur voix pour dissimuler leur identité ; le Comte parle sincèrement pour la première fois. La parole n'a pas la même portée pour l'interlocuteur immédiat et pour les personnages cachés. Une telle polysémie pousse à leur comble les effets comiques et la cruauté des échanges.

Société

Un coup de semonce politique

Certes, le dernier acte marque le retour à la concorde sociale, mais il s'amorce sur le monologue de Figaro, véritable cahier de doléances politiques ; et les paroles du vaudeville final, en donnant un nouveau public et une nouvelle portée à cette comédie, n'annoncent-elles pas les chansons révolutionnaires ?

POUR
APPROFONDIR

Genre, action, personnages

Genre et registres

Beaumarchais inscrit *Le Mariage de Figaro* dans la continuité du *Barbier de Séville* qui lui a si bien réussi. Sa pièce s'inspire donc à nouveau de la comédie classique, mais puise aussi son inspiration dans la parade, le drame et l'opéra bouffe, genres qu'il connaît bien.

La comédie classique et son évolution au XVIIIe siècle

La structure de la comédie a peu changé en un siècle. Celle-ci se décompose toujours en trois ou cinq actes et en scènes, en fonction des entrées et sorties des personnages. Trois étapes ponctuent l'ensemble : l'exposition, qui fournit au spectateur les informations nécessaires à la compréhension de l'action ; l'action, ou déploiement, avec péripéties, du projet ou du conflit initial mis en place dans l'exposition ; le dénouement qui apporte la résolution du conflit et fixe de manière rapide et complète le sort des personnages.

Le principe d'unité d'action est globalement respecté, celui de l'unité de temps aussi, alors que le principe d'unité de lieu disparaît avec les progrès de la mise en scène. Le XVIIIe siècle est moins exigeant que le siècle classique concernant le caractère « nécessaire » des actions et la proscription du hasard. Les intrigues deviennent plus complexes, les obstacles et les péripéties se multiplient. Le langage dramatique s'est assoupli pour se rapprocher de la conversation, la longue tirade est rare, de même que le monologue. Le « récit » en forme a disparu.

Le principe de vraisemblance est beaucoup moins respecté. On sacrifie de plus en plus à l'intérêt, c'est-à-dire à l'émotion. On respecte les bienséances, mais on prend soin d'amuser le public et de faire des allusions à des réalités politiques et sociales contemporaines.

Genre, action, personnages

L'héritage moliéresque

Admirant, à l'instar de ses contemporains, le théâtre de Molière, Beaumarchais s'efforce de conjuguer les différents atouts de la « grande comédie ». Celui-ci mêle en effet aux fantaisies de langage, aux scènes de théâtre dans le théâtre et aux effets de surprise caractéristiques de la farce, l'ardeur amoureuse et le réalisme psychologique et social de la comédie de caractères ou de la comédie de mœurs, et la tonalité satirique de cette dernière. Toute la trilogie espagnole est ainsi sous l'influence de Molière : *Le Barbier de Séville* s'inspire de *L'École des femmes*, l'Almaviva du *Mariage* a des points communs avec Dom Juan et le personnage de Bégearss, dans *La Mère coupable*, avec Tartuffe.

La comédie de mœurs au XVIIIe siècle

Les dramaturges du début du XVIIIe siècle s'attachent à étudier la complexité des relations entre les individus et l'inégalité des conditions. Plus tard, Nivelle de La Chaussée et Rochon de Chabannes se plaisent à peindre un monde corrompu où femmes séduisantes et chevaliers légers et pleins d'esprit courent après le plaisir et la fortune. C'est dans leurs pièces que Beaumarchais puise la préoccupation sociale et trouve le modèle de ses personnages de libertin et d'épouse délaissée.

Parade *et* commedia dell'arte

Le genre de la parade est un genre d'origine populaire, né dans les foires. Installés sur une estrade, à l'extérieur des loges foraines ou des scènes de théâtre, un nombre réduit d'acteurs aux rôles stéréotypés et très proches de la farce ou de la *commedia dell'arte* improvisaient sur un canevas simple en multipliant mimiques et plaisanteries grivoises. La gaieté et la liberté de ton de ces spectacles plurent tellement que certains grands seigneurs commandèrent des parades à des dramaturges professionnels pour leurs divertissements privés. Toujours aussi gaies et hardies, ces parades (comme *Les Bottes de sept lieues*, *Léandre marchand d'agnus*, *Jean-Bête à la foire* ou *Zirzabelle mannequin* écrites par Beaumarchais) renonçaient cependant à l'improvisation et aux propos ouvertement obscènes.

Genre, action, personnages

Le Mariage de Figaro rappelle les parades littéraires de circonstance, jouées à l'occasion de fêtes de famille (Voltaire écrivit ainsi une parade pour le mariage d'une parente du marquis de Livry, dont il était l'hôte). Il s'en rapproche aussi par son intrigue invraisemblable et follement gaie, ses allusions grivoises, ses personnages voisins de la *commedia dell'arte*, sa langue « populaire », les discours confus de personnages qui peinent à analyser leurs sentiments ou leurs idées, son goût pour les plaisanteries, le jeu verbal et une écriture volontiers distanciée.

L'opéra-comique

En 1775, *Le Barbier de Séville* que Beaumarchais proposait au Théâtre-Italien était un opéra-comique, ou comédie avec chansons. Ce genre était alors très apprécié des Parisiens, qui l'avaient vu naître sur les tréteaux de la foire en même temps que les parades. Refusé par les Comédiens-Italiens, l'opéra-comique fut transformé en comédie mais conserva plusieurs airs chantés. Quoique tout à fait inhabituelle à la Comédie-Française, qui bannissait ordinairement la chanson, la formule avait eu un tel succès que Beaumarchais n'eut garde de l'abandonner : les intermèdes musicaux qui émaillent la pièce de Beaumarchais (chanson de Chérubin, II, 4, musique, chant et danse pendant la cérémonie de mariage, IV, 9, air de vaudeville de Bazile, IV, 10, vaudeville final) lui confèrent ainsi le charme d'un petit opéra.

Le drame

À partir des années 1760-1770, un autre genre est à la mode. Théorisé par Diderot dans ses *Entretiens sur Le Fils naturel* (1757), le drame entend représenter non plus des caractères, mais des « conditions », c'est-à-dire des situations familiales et sociales susceptibles d'inspirer au spectateur un idéal moral. Un mélange de gaieté et de gravité, des « tableaux » vivants, des scènes pathétiques, sont les ingrédients principaux de ce nouveau genre « sérieux » et sentimental.

Beaumarchais écrivit deux drames (*Eugénie*, 1767 ; *Les Deux Amis*, 1770) et un texte théorique, l'*Essai sur le genre dramatique sérieux* (1767). C'est sans doute l'insuccès des *Deux Amis* qui poussa Beaumarchais à abandonner provisoirement le drame pour la comédie. Reste que les idées développées dans son essai s'appliquent aussi bien aux deux genres. Ses comédies comme ses drames visent en effet l'efficacité morale, entendent susciter l'« intérêt » des spectateurs – c'est-à-dire à la fois de la sympathie pour les personnages et de l'inquiétude par rapport à l'issue de l'intrigue – et leur présentent à cette fin des héros proches d'eux et des sujets touchants.

Les registres

Le registre dominant du *Mariage de Figaro* est le registre comique – comique de mots, de gestes, de situation – ; mais on trouve aussi le registre lyrique dans les passages amoureux (I, 1 et 7, IV, 2) ; le registre laudatif dans la cérémonie de la toque virginale (I, 10) ; le registre pathétique dans la bouche de la Comtesse inquiète pour Chérubin (II, 16) ou désespérée de l'éloignement du Comte (II, 19), ou encore dans celle de Marceline parlant de ses vicissitudes (III, 16) ; le registre ironique dans la plupart des répliques de Figaro et dans celles de Suzanne lorsqu'elle se moque de Chérubin (II, 4 à 6), du Comte (II, 17) ou des gens de condition (III, 9) ; les registres satirique et polémique dans les attaques de Figaro contre la société, la noblesse, la justice (I, 2 ; III, 15 ; V, 3), le registre polémique également dans les affrontements entre Suzanne et Marceline (I, 5) ou le Comte et la Comtesse (II, 13 et 16) ; le registre didactique, enfin, lorsque Figaro parle de langue anglaise ou de politique (III, 5), ou disserte sur les formes de vérité (IV, 2).

L'action

Un espace, plusieurs lieux

L'action se situe dans un espace général unique (le château d'Aguas Frescas), comprenant plusieurs lieux particuliers, l'un étant celui des valets (chambre de Suzanne et de Figaro, I), les suivants ceux des maîtres (chambre de la Comtesse, II ; salle

Genre, action, personnages

d'audience, III ; grande galerie, IV), et le dernier un lieu mixte (la « salle des marronniers », dans le parc, V). Ajoutons aussi des lieux intermédiaires : le cabinet de la chambre de la comtesse, le jardin (II), les pavillons, recoins et bois du dernier acte, « troisième lieu » théâtral (en plus de la scène et des coulisses) auquel Beaumarchais donne un rôle dramatique nouveau et important.

▌ Le temps d'une « folle journée »

Le principe d'unité de temps est respecté, puisque la pièce se déroule sur une seule journée, mais l'action n'est par pour autant ramassée. Au contraire, elle contient plus d'événements qu'une journée normale n'en saurait contenir. Le nombre de scènes de la pièce, particulièrement élevé (92 alors qu'une pièce classique en compte habituellement entre 25 et 30), est significatif des principes dramaturgiques à l'œuvre dans cette « folle journée ».

▌ Une action complexe

Le but essentiel du théâtre de Beaumarchais est en effet, nous l'avons vu, de susciter le plus possible l'« intérêt ». L'action du *Mariage de Figaro*, de par sa rapidité, son foisonnement, la multitude des péripéties et effets de surprise et la variété des scènes, qui sont tantôt des joutes oratoires, tantôt de grands mouvements scéniques, répond précisément à cet objectif.

Dans sa préface, Beaumarchais présente sa pièce comme « la plus badine des intrigues ». Mais il ne faut pas s'y fier. Si l'action du *Mariage de Figaro* répond en effet globalement à l'exigence d'unicité, puisque l'enjeu central de la pièce est le mariage de Figaro et de Suzanne, elle comporte de multiples actions secondaires qui la rendent particulièrement complexe.

On a ainsi pu déceler quatre intrigues différentes :

• Intrigue A : le Comte Almaviva cherche à faire de Suzanne sa maîtresse (le Comte : sujet de l'action / Suzanne : objet de l'action).

• Intrigue B : Figaro veut épouser Suzanne (Figaro : sujet / Suzanne : objet).

Genre, action, personnages

• Intrigue C : Marceline veut se marier avec Figaro (Marceline : sujet / Figaro : objet).

• Intrigue D : Chérubin convoite la Comtesse (Chérubin : sujet / la Comtesse : objet) et éventuellement Fanchette ou Suzanne. L'exposition se caractérise par sa brièveté puisqu'elle est concentrée dans trois scènes du premier acte : la scène 1 (Suzanne et Figaro s'apprêtent à se marier : intrigue B ; mais le comte Almaviva, secondé par Bazile, entend faire de Suzanne sa maîtresse : intrigue A), la scène 4 (Marceline a eu jadis de Bartholo un enfant ; elle souhaite épouser Figaro : intrigue C ; de son côté, Bazile espère épouser Marceline) et la scène 7 (Chérubin est épris de la comtesse Almaviva, tout en étant touché par Suzanne et Fanchette : intrigue D, mais le Comte a décidé de le chasser du château), les autres scènes étant des scènes d'action. Dans la suite de la pièce, qui en constitue le nœud, les péripéties qui jalonnent ces diverses intrigues se multiplient, et de nouveaux obstacles se présentent : Antonio, qui n'accepte de donner sa nièce Suzanne en mariage à Figaro que si les parents de celui-ci sont légitimement mariés (mais Bartholo accepte d'épouser Marceline, III, 19) ; et Bazile, qui prétend épouser Marceline à la place de Bartholo (mais qui y renonce en apprenant qu'il faudrait aussi adopter Figaro, IV, 10). Peu à peu, les fils de ces intrigues se trouvent dénoués : l'intrigue C est résolue à l'acte III : Marceline ne peut plus prétendre épouser Figaro puisqu'il s'avère être son fils (scènes 15 et 16) ; l'intrigue B s'achève à l'acte IV avec la cérémonie de mariage entre Figaro et Suzanne (et entre Marceline et Bartholo).

Le dénouement du *Mariage* est très tardif, puisqu'il n'intervient qu'à la dernière scène, à la suite de la dernière péripétie ou « catastrophe », où la femme que le Comte prenait pour la Comtesse s'avère être Suzanne et vice versa. Mais il n'est pas tout à fait complet, puisque l'intrigue D n'est pas réglée. On pourra noter aussi que le vrai dénouement n'est pas le mariage de Suzanne et de Figaro, puisque celui-ci est acquis depuis l'acte IV, mais le moment où le Comte renonce définitivement à faire de Suzanne sa maîtresse, à la dernière scène. Alors que le rétablissement des relations conjugales, parce qu'il laisse en suspens les aspirations intimes de Chérubin, de la Comtesse et du Comte, laisse la voie ouverte à des rebondissements, à venir dans *La Mère coupable*.

Les personnages

Des personnages qui échappent aux conventions

Certes, les personnages principaux du *Mariage de Figaro* s'apparentent pour la plupart à des caractères comiques traditionnels : maîtres (le Comte et la Comtesse), valets (Figaro et Suzanne), docteur (Bartholo), duègne (Marceline), etc. Mais Beaumarchais introduit aussi des personnages nouveaux (tels Bazile ou Chérubin) s'efforce de peindre non plus des types figés, mais des conditions sociales, et confère à ses personnages une personnalité, une vie propres tout en les faisant évoluer au gré du temps (celui de chacune des pièces de la trilogie comme celui qui les sépare, ou encore le passé qu'évoquent les personnages eux-mêmes), des événements et des relations complexes qui se nouent entre eux.

Figaro : simple valet, héros ou révolutionnaire ?

On a rapproché le nom de Figaro, probablement inventé par Beaumarchais, du terme « picaro » (ce héros populaire des romans espagnols du Siècle d'or), du mot « figue » (*faire la figue à quelqu'un* équivalant à *lui faire la barbe, se moquer de lui*) mais aussi de « fils Caron » (signature du jeune Beaumarchais). Dans sa préface, Beaumarchais évoque « le véritable Figaro », comme s'il s'agissait d'une personne réelle et bien connue. Tout comme dans *Le Barbier de Séville*, il est habillé en homme du peuple élégant, mais il a rajeuni, est devenu séduisant et n'a plus rien de grotesque. Enfant trouvé, aujourd'hui intendant du château d'Aguas Frescas, hier maréchal-ferrant, homme de lettres et barbier, Figaro apparaît, à travers son insolite monologue (V, 3), comme un personnage hors norme, un individu en quête d'un sens et d'un destin.

Genre, action, personnages

Alors qu'il jouait dans *Le Barbier de Séville* le rôle d'auxiliaire du jeune Almaviva dans ses projets amoureux, Figaro devient, dans *Le Mariage de Figaro*, amoureux de Suzanne et rival du Comte, qui veut celle-ci pour maîtresse. S'ingéniant à contrecarrer les projets du Comte, il s'efforce de l'entretenir, le temps de conclure son mariage, dans l'illusion qu'il pourra obtenir les faveurs de Suzanne. Mais il n'est pas le seul moteur de l'action. S'il force le Comte à accepter officiellement son mariage avec Suzanne (I, 10), suscite sa jalousie (II), fait en sorte que Chérubin reste au château jusqu'à la fin de la noce, rassemble les conspirateurs du cinquième acte et provoque le dénouement, il est souvent « doublé » par le hasard ou par la Comtesse et Suzanne, contraint à des improvisations un peu bâclées, ridiculisé par sa jalousie, voire poussé à douter de lui-même (III, 5). Qu'il fasse bonne ou mauvaise figure, Figaro n'a de cesse de brocarder la noblesse et ses privilèges, qui ne laissent pas de place au talent, de se moquer des gens de chicane et des médecins, de faire le procès de la censure et de l'injustice sociale qui rabaisse les femmes. Son personnage révolutionne ainsi la comédie de caractères, qui avait pour habitude de prendre les personnages pour cible de la satire, en étant lui-même l'instigateur de la satire.

À plusieurs reprises, Figaro fait pression sur le Comte en s'entourant d'un groupe de jeunes filles, de paysans ou de « travailleurs », venus tantôt fêter l'abolition du droit du seigneur ou les noces de Figaro et de Suzanne, tantôt prêter main-forte pour confondre le seigneur suborneur. Frondeur, ce serviteur en mal d'embourgeoisement se préoccupe cependant plus de défendre ses droits que de remettre en cause l'ordre social. Comme Beaumarchais, c'est surtout un plébéien qui essaie de trouver une identité dans une société encore trop figée.

Le Comte : un aristocrate décadent

Le rôle du Comte n'est plus celui du jeune premier amoureux du *Barbier*. Habillé « en habit de chasse, avec des bottines mijambe ; de l'ancien costume espagnol », il est passé du rôle de

Genre, action, personnages

conquérant fougueux à celui de don juan chasseur de femmes, voire de braconnier, illustrant le principe évoqué par Beaumarchais dans la préface de la « disconvenance sociale » (attitude ou action menée par un personnage alors que la société le lui interdit) comme ressort essentiel de la comédie. Tout comte qu'il est, il s'en prend en effet à la petite paysanne Fanchette et à Suzanne alors que le droit du seigneur a été aboli.

Parmi les personnages principaux, c'est celui qui se rapproche le plus d'un type théâtral traditionnel : dénué de scrupules, emporté, jaloux, il suscite le plus souvent le rire et l'antipathie. Sauf dans ses rares moments d'absolue sincérité et de retour pour ainsi dire en enfance (II, 19 : « Nous croyons valoir quelque chose en politique et nous ne sommes que des enfants » ; v, 19 : « ils m'ont traité comme un enfant »).

L'intrigue de la pièce étant fondée « sur le caprice libertin d'un seigneur qui marchande les faveurs d'une suivante », le comte est censé y jouer le rôle de force agissante. En réalité, Figaro, Suzanne, la Comtesse et Chérubin vouent tour à tour toutes ses manœuvres à l'échec. De plus en plus déstabilisé à mesure que l'intrigue avance, il est moins actif que réactif : agacé d'abord, puis furieux et enfin dépité et confus, il ne cesse de reconnaître l'habileté féminine et doit, par trois fois, présenter à la Comtesse ses excuses pour l'avoir injustement soupçonnée. Pourtant, rétablissant, comme souvent chez Beaumarchais, la situation au dernier moment, la magnanimité de la Comtesse lui évite le déshonneur.

Dans sa préface au *Mariage*, Beaumarchais s'explique sur le personnage du Comte : « Qu'oserait-on dire au Théâtre d'un Seigneur, sans les offenser tous, sinon de lui reprocher son trop de galanterie ? N'est-ce pas là le défaut le moins contesté par eux-mêmes ? » De même que Figaro a l'esprit frondeur et vindicatif du « Français moyen », le libertinage des puissants est le vice qui attire le plus l'indulgence des Français. Le théâtre de Beaumarchais s'empare ainsi de lieux communs pour faire rire sans encourir la censure. Car le Comte n'est pas seulement un séducteur, il représente aussi une noblesse en pleine décadence, cherchant à abuser de ses prérogatives quitte à y mettre le prix, en continuant à privilégier la naissance par rapport au mérite.

La Comtesse : un personnage d'une délicieuse ambiguïté

Rosine, l'ingénue rusée et amoureuse du *Barbier de Séville* est devenue, dans *Le Mariage de Figaro*, une épouse délaissée. Elle est, avec les autres grands personnages féminins de la pièce comme beaucoup de ceux que dépeint la littérature du XVIIIe siècle, la victime d'une société qui livre les femmes au pouvoir masculin. Mais c'est aussi un personnage habile, combatif – elle va jusqu'à échanger les rôles avec Suzanne pour mieux confondre son mari et le ramener à elle –, non dénué d'ambiguïté : si elle pardonne au Comte ses soupçons et ses écarts, n'est-ce pas parce qu'elle a elle-même ses propres tentations ? Se trouvant en effet « dans le moment critique où sa bienveillance pour un aimable enfant, son filleul, peut devenir un goût dangereux », la Comtesse se trahit par sa rêverie, sa distraction, son émotion et quelques mots révélateurs échappés dans un moment de crise (II, 16). Tiraillée entre l'amour conjugal et ce sentiment qu'elle croit d'abord maternel pour Chérubin (à l'inverse de Marceline qui prend son penchant maternel vis-à-vis de Figaro pour de l'émoi amoureux), oscillant entre une attitude noble, réservée, et l'égarement du désir, elle fut taxée de personnage immoral par la critique de l'époque. Aujourd'hui, elle apparaît comme le plus subtil des personnages de Beaumarchais.

Suzanne : une héroïne positive

Nouvelle venue dans le théâtre de Beaumarchais, Suzanne, « jeune personne adroite », « spirituelle et rieuse », est plus qu'une suivante traditionnelle de comédie. Nièce d'un paysan ivrogne et devenue première cameriste de la Comtesse, philosophe à ses heures, maniant bien la parole, elle apparaît comme le double féminin de Figaro, l'épaisseur romanesque en moins. Droite mais nullement naïve, également coquette avec

Genre, action, personnages

le Comte et avec son fiancé, sensible aux charmes de Chérubin, elle est aussi le pendant plébéien et même parfois le sosie de la Comtesse (elle prend des leçons de musique avec Bazile, comme Rosine dans *Le Barbier*, Chérubin la confond avec la Comtesse et le Comte prend la Comtesse pour Suzanne), la grande jeunesse et l'espoir d'un mariage heureux en plus.

Chérubin : un adolescent dont le désir fait désordre

Le nom de Chérubin apparaît dans le roman *Le Bachelier de Salamanque ou Les Mémoires de don Chérubin de La Ronda* de Lesage, mais le personnage est nouveau au théâtre. Le rôle fut au départ confié à une femme, parce qu'il n'existait pas alors d'emploi de très jeune garçon. Malgré son nom angélique, Chérubin est le « mauvais génie » de la pièce, où il sème le désordre social, amoureux, moral et dramatique. Chérubin est en effet « hors classe » : issu de la noblesse pauvre, il est à la fois filleul de la Comtesse et page, donc serviteur du Comte. Comme Almaviva, Chérubin illustre le principe cher à Beaumarchais de la « disconvenance sociale », puisqu'il s'intéresse à des femmes qui sont soit au-dessous (Suzanne et Fanchette), soit au-dessus (la Comtesse) de sa condition. En retour, Fanchette l'aime et Suzanne devient pour lui une complice ambiguë. Quant à la Comtesse, elle laisse deviner son faible pour le jeune homme derrière son aveu de culpabilité et des signes d'émoi répétés. D'un point de vue dramatique, Chérubin représente une gêne, voire une vraie menace pour le Comte, qui croit l'avoir renvoyé mais ne cesse de le rencontrer sur sa route. Son déguisement donne aussi lieu à de multiples péripéties. Habillé en officier, il fait encore rebondir l'action (V, 6) qu'avait préparée la Comtesse, et sa présence finale compromet un moment le stratagème prévu par Figaro.

Celui que Suzanne prenait pour « un morveux sans conséquence » apparaît ainsi d'un côté comme une figure nostalgique, celle de l'enfant encore irresponsable, libre de tout lien social que le Comte – et peut-être Beaumarchais lui-même – rêverait sans doute d'être à nouveau, de l'autre comme le révélateur du vertige des sens et du dérèglement de l'ordre social qui rendent cette journée « folle ».

On comprend dès lors que l'avenir d'un tel fauteur de trouble fasse l'objet d'un funeste « pronostic » de la part de Figaro à la fin du premier acte (« à moins qu'un bon coup de feu… », 10). C'est ce que vérifiera le drame de *La Mère coupable*.

Le comte Almaviva, Chérubin et Suzanne.
Gravure.

Dessin des costumes de Figaro,
Chérubin et Fanchette lors de la représentation de 1784
au Théâtre français.

L'œuvre : origines et prolongements

Genèse du Mariage de Figaro

C'EST DE LA PRÉFACE du *Barbier de Séville* qu'est venue l'idée d'écrire *Le Mariage de Figaro*. Dans la « Lettre modérée sur la chute et la critique du *Barbier de Séville* », Beaumarchais imaginait en effet une suite à l'histoire de Figaro :

« En effet, personne aujourd'hui n'ignore, qu'à l'époque historique où la pièce [*Le Barbier*] finit gaiement dans mes mains, la querelle commença sérieusement à s'échauffer, comme qui dirait derrière la toile, entre le docteur et Figaro, sur les cent écus. Des injures on en vint aux coups.

Le docteur, étrillé par Figaro, fit tomber en se débattant la *rescille* ou filet qui coiffait le barbier, et l'on vit, non sans surprise, une forme de spatule imprimée à chaud sur sa tête rasée. Suivez-moi, Monsieur, je vous prie.

À cet aspect, moulu de coups qu'il est, le médecin s'écrie avec transport : "Mon fils ! ô Ciel, mon fils ! mon cher fils !..." Mais avant que Figaro l'entende, il a redoublé de horions sur son cher père. En effet, ce l'était.

Ce Figaro, qui pour toute famille avait jadis connu sa mère, est fils naturel de Bartholo. Le médecin, dans sa jeunesse, eut cet enfant d'une personne en condition, que les suites de son imprudence firent passer du service au plus affreux abandon.

Mais avant de les quitter, le désolé Bartholo, frater alors, a fait rougir sa spatule ; il en a timbré son fils à l'occiput, pour le reconnaître un jour, si jamais le sort les rassemble. La mère et l'enfant avaient passé six années dans une honorable mendicité [...] la plus touchante reconnaissance a lieu entre le médecin, la vieille et Figaro : *C'est vous ! c'est lui ! c'est toi ! c'est moi !* Quel coup de théâtre ! [...] Enfin le docteur épouse la vieille, et Figaro [...] *devient heureux et légitime*.

Quel dénouement ! Il ne m'en eut coûté qu'un sixième acte ! »

L'œuvre : origines et prolongements

Plusieurs autres motifs du *Mariage* apparaissent aussi en germe dans des œuvres antérieures de Beaumarchais. L'histoire du couple seigneurial semble inspirée d'une saynète intitulée *Œil pour œil, dent pour dent* (aujourd'hui disparue), qui raconte l'histoire d'une double infidélité, suivie d'une double vengeance. La parade *Colin et Colette* présente une charmante scène paysanne de dépit amoureux déclenché par un bouquet destiné à rendre hommage au seigneur du village lors d'une fête, tandis que dans *Les Bottes de sept lieues*, Arlequin se fait passer pour le fils de la mère Bridoie, ce qui explique, dit-il, son surnom de Brid'oison.

Entre 1778, date à laquelle la comédie fut vraisemblablement achevée, et la première représentation, en 1784, le manuscrit de la pièce a subi des modifications considérables. Dans une première version, dont il ne reste aujourd'hui qu'un fragment, il semble que l'action se passait en France. Le monologue de Figaro, au cinquième acte, comportait en tout cas de multiples allusions à l'actualité française immédiate, que ce soit les attaques portées par l'Église contre l'œuvre de Voltaire, le combat mené par Beaumarchais pour la défense des auteurs dramatiques contre les Comédiens-Français, la situation économique (« Et l'on écrivait beaucoup, et le peuple murmurait, car ce n'est point des livres, c'est des vivres qu'il lui faut ») ou encore la corruption des journalistes. Beaumarchais y évoquait aussi la Bastille : « Mon livre ne se vendit point, fut arrêté et, pendant qu'on fermait la porte de mon libraire, on m'ouvrit celle de la Bastille, où je fus fort bien reçu en faveur de la recommandation qui m'y attirait. J'y fus logé, nourri pendant six mois, sans payer auberge ni loyer, avec une grande épargne de mes habits, et, à le bien prendre, cette retraite économique est le produit le plus net que m'ait valu la littérature. Mais comme il n'y a ni bien ni mal éternel, j'en sortis... » Il parlait enfin de « destruction du culte des Bardes et des Druides, et de leurs vaines cérémonies », ajoutant : « Mais je n'avais pas aperçu le venin caché dans mon ouvrage, et les allusions qu'on pouvait faire d'un culte faux aux vérités révélées d'une religion véritable. »

L'œuvre : origines et prolongements

Quoique la pièce ait reçu un premier rapport favorable de la censure, ses impertinences font l'objet de rumeurs. Louis XVI demande qu'on lui lise la comédie, qui l'insupporte. Une lettre de Sedaine nous apprend aussi que la Comtesse paraissait bien moins vertueuse dans la version initiale de la pièce, ce que confirment les manuscrits postérieurs, où l'intérêt de la Comtesse pour Chérubin est clairement exprimé.

Pour pouvoir faire représenter sa comédie malgré l'hostilité royale, Beaumarchais revient donc sur les aspects jugés trop séditieux ou immoraux, déplaçant l'intrigue en Espagne, supprimant les attaques explicites et les passages jugés scabreux. C'est ainsi notamment que l'acte V fut modifié, et la Comtesse isolée dans un pavillon tandis que le reste des personnages se retrouvait dans l'autre, pour éviter de laisser Chérubin seul avec la Comtesse... L'auteur fait aussi campagne pour sa pièce dans les salons, où il la lit tout en tenant compte des réactions et des critiques de ses auditeurs. À l'issue d'une bataille jalonnée de multiples requêtes de la part de l'auteur, d'interdictions répétées de la part de la censure et du roi lui-même, Beaumarchais rallie à sa comédie l'entourage royal, et fait enfin céder Louis XVI. Le 27 avril 1784, c'est une comédie moins scandaleuse, mais toujours insolente, qui triomphe à la Comédie-Française.

Les sources du Mariage de Figaro

Rabelais, qui représente pour Beaumarchais un modèle de « franche gaieté » et d'irrespect généralisé, lègue bien des caractéristiques de ses créatures aux personnages du *Mariage*. Non seulement Figaro, comme Panurge, craint de grossir les rangs des maris « cocus cornus », mais il se laisse facilement gagner par la même ivresse verbale et le même vertige existentiel (V, 3). Quant au juge Brid'oison, comme Bridoye dans *Le Tiers Livre*, il se montre formaliste, incompétent et corrompu.

Dans sa préface, Beaumarchais affirme qu'il « a profité d'une composition légère, ou plutôt a formé son plan de façon à y faire

L'œuvre : origines et prolongements

entrer la critique d'une foule d'abus qui désolent la société ». Or le principal abus dénoncé dans la pièce est le droit du seigneur ou droit de cuissage, sujet traité au théâtre, dès 1699, avec *La Noce interrompue* de Dufresny, puis à nouveau en 1735 avec *Le Droit du seigneur* de Louis de Boissy. Le même titre fut ensuite repris par Voltaire en 1762 et Nougaret en 1763, et fit l'objet d'un opéra-comique à succès (1784) sur un livret de Desfontaines et une musique de Martini. Beaumarchais n'a pas non plus totalement inventé le personnage de Chérubin : celui-ci a en effet bien des points communs avec Lindor, le jeune militaire d'un des *Contes moraux* de Marmontel, « Le scrupule », qui a « la fraîcheur de la jeunesse, l'impatience du désir, l'étourderie et la légèreté, qui sont des grâces à seize ans et des ridicules à trente », et que Rochon de Chabannes représenta à son tour dans une pièce, *Heureusement* (1762), citée par Beaumarchais dans sa préface.

Le Mariage de Figaro, *une pièce « espagnole »*

Costumes et titres (le Comte, « grand corrégidor d'Andalousie », est habillé dans l'« ancien costume espagnol » ; Figaro en homme du peuple espagnol élégant), accessoires (éventail, guitare, castagnettes), festivités (on joue les *Folies d'Espagne* et l'on danse le fandango pendant la cérémonie de mariage, IV, 9), noms de lieux (Guadalquivir, Sierra Morena, etc.) : de nombreux détails du *Mariage de Figaro* suggèrent une Espagne haute en couleur, vibrante de musique et de chant, la même Espagne qui était déjà le cadre du *Barbier de Séville*. C'est à la suite d'un voyage à Madrid, au cours duquel Beaumarchais avait assisté à des « intermèdes » mettant en scène barbiers, entremetteurs et sacristains galants, que celui-ci imagina le cadre andalou et l'intrigue de la première version du *Barbier de Séville*. Avec *Le Mariage de Figaro*, le dramaturge transporte dans le château d'Aguas Frescas, non loin de Séville, les aventures du génial valet et de son entourage, restant fidèle à l'esprit de sa première comédie et à cette veine « espagnole » familière depuis longtemps au public français.

L'œuvre : origines et prolongements

Le théâtre du Siècle d'or (1550-1650) eut en effet, aux xviie et xviiie siècles, un fort retentissement sur le théâtre français. Aussi certaines références étaient-elles évidentes pour les spectateurs. Suzanne évoquant un Comte, « las de courtiser les beautés des environs », au début de la pièce, fait bien évidemment écho à l'aveu initial d'Almaviva dans *Le Barbier de Séville* (« Je suis las des conquêtes que l'intérêt... »), mais rappelle aussi le grand seigneur libertin de Tirso de Molina (*L'Abuseur de Séville et L'Invité de pierre*, 1620-1630), dont l'obsession est de s'introduire dans les maisons à la faveur de l'obscurité, et à sa suite, le Dom Juan de Molière (*Dom Juan*, 1665). Étaient également caractéristiques de la comédie espagnole les personnages de rivaux courtisant la même femme, de jeune fille trahie (telle Marceline), de grand seigneur ombrageux ou encore de valet rusé.

Tout aussi influents furent en France les romans picaresques espagnols, dont les plus connus sont *La Vie de Lazarillo de Tormes* (vers 1553) et *Guzman d'Alfarache* de Mateo Aleman (1599-1603). C'est ainsi que Lesage écrivit *Le Diable boiteux* (1707) et *Gil Blas de Santillane* (1715-1735) en s'inspirant des récits d'aventures espagnols. Beaumarchais, à son tour, après avoir pris un passage du *Diable boiteux* pour sujet de son premier drame, *Eugénie* (1767), trouva dans *Gil Blas* un des modèles du personnage de Figaro : le héros du roman de Lesage, un jeune Espagnol de naissance obscure, ayant décidé de quitter sa famille pour aller étudier à Salamanque, connaît en route de multiples aventures. Il est enlevé par des brigands, devient le valet et l'élève d'un médecin de Valladolid, fait de la prison, rencontre un barbier guitariste qui a séduit sans le vouloir Mergeline, la femme d'un médecin jaloux, partage un moment la vie des comédiens de Grenade, tombe amoureux d'une actrice et découvre à cette occasion la duplicité féminine, entre au service d'un marquis qui l'introduit à la cour, y retrouve un autre ami barbier devenu écrivain et proche des Grands d'Espagne... Au fil de ces péripéties, Gil Blas apprend à connaître les dures lois d'une société régie par des coquins, la toute-

L'œuvre : origines et prolongements

puissance de l'argent et de l'apparence, les caprices du hasard qui mène les destinées. En puisant à une telle source romanesque, Beaumarchais transforma le type traditionnel du valet de comédie en un homme de son temps, doté d'une histoire mouvementée, lucide vis-à-vis du monde cruel qui l'entoure, mais décidé néanmoins à mettre ses mérites personnels au service de son ascension sociale. Avec un tel passé et de telles ambitions pour l'avenir, on comprend que *Le Barbier de Séville* n'ait été qu'une première étape dans la vie du barbier, et qu'il faille encore, après *Le Mariage de Figaro*, le drame de *La Mère coupable* pour donner toute sa mesure à ce héros de roman. Quant au personnage de Chérubin, si nouveau sur la scène française, il tire directement son nom et peut-être un peu de son tempérament, lui aussi, de *Gil Blas* (1715-1735), où apparaît pour la première fois un chanoine du nom de Dom Chérubin, et du *Bachelier de Salamanque ou Les Mémoires de don Chérubin de La Ronda* (1735), qui raconte les aventures d'un jeune noble pauvre et bien décidé, au moment où il commence une carrière de précepteur, à suivre les conseils d'un curé bienveillant et à résister, dans les maisons où il exercera, aux tentations féminines, « le beau sexe étant en effet un écueil redoutable pour moi ; car je ne sentais déjà que trop que j'avais reçu de la nature un tempérament contre lequel ma vertu aurait bien à lutter ».

La réception du Mariage et la préface

Le nombre des épigrammes et des parodies qui fleurirent à l'issue de la première représentation témoigne du succès de l'œuvre et de son retentissement paradoxal : autant la pièce fut acclamée par le public, autant elle suscita des critiques acerbes. On jugea l'intrigue trop complexe, on critiqua un style de « crocheteur », on s'indigna de l'immoralité du rôle du Comte et de celui de la Comtesse. « Il est certain, écrit La Harpe, que personne ne pense à s'apitoyer sur l'abandon de la Comtesse, qui passe son temps à faire l'amour avec son page. » Aussi la préface de la pièce, publiée quelque temps après la création, en 1785, est-elle

L'œuvre : origines et prolongements

en partie consacrée à la défense de la comédie : Beaumarchais se livre à une analyse détaillée des principaux personnages incriminés pour en montrer la moralité et justifie trois répliques qui avaient paru, du point de vue politique et social, particulièrement choquantes. Par la même occasion, il soulève plus généralement la question de la « décence théâtrale », souligne l'importance de la « disconvenance sociale » comme ressort de l'intérêt dramatique et définit la véritable moralité. Plus qu'une simple justification, cette préface est donc aussi un pamphlet contre les détracteurs du *Mariage* et un manifeste littéraire. Au-delà de l'enjeu littéraire et moral de la pièce, sa dimension historique a longtemps été soulignée. Dès la fin du XVIIIᵉ siècle, la comédie fut considérée comme une pièce révolutionnaire. Le roi lui-même s'en était inquiété. Pour Danton, « Figaro [avait] tué la noblesse ». C'était, aux yeux de Napoléon, « la révolution déjà en action ». En stigmatisant le comportement d'un aristocrate libertin, *Le Mariage de Figaro* s'attaquait, de l'avis général, aux abus de l'Ancien Régime et annonçait la Révolution de 1789. Ce point de vue prévalut longtemps et a encore ses adeptes, même si certains considèrent aujourd'hui que la pièce est plus audacieuse et novatrice d'un point de vue littéraire qu'elle n'est politiquement subversive.

Le destin de Figaro dans la trilogie espagnole

La trilogie espagnole s'achève en 1792, avec un drame parisien, *La Mère coupable*. Vingt ans se sont écoulés depuis les événements du *Mariage de Figaro*. La famille Almaviva s'est agrandie. La Comtesse a eu avec Chérubin, qui est mort au combat depuis, un enfant adultérin, Léon. Le Comte a officiellement pour pupille Florestine, qui est en fait sa fille naturelle. Léon et Florestine s'aiment. Mais Bégearss, un « infernal Tartuffe », menace la paix de la famille en manœuvrant pour mettre la main sur la fille du Comte, la fortune de Figaro et, à terme, celle de la Comtesse. Grâce à l'intervention de Figaro, aidé de Suzanne, le méchant est finalement expulsé de la famille et le

L'œuvre : origines et prolongements

mariage de Léon et de Florestine peut enfin s'arranger. La pièce connut un franc succès, et fut souvent représentée jusqu'en 1850. Elle tomba ensuite dans l'oubli.

Du Mariage *aux* Noces

LE MARIAGE DE FIGARO fut immédiatement célèbre dans l'Europe entière. À Vienne, Joseph II, jugeant la pièce séditieuse, en avait interdit la représentation, mais cela n'empêcha pas Mozart d'en prendre rapidement connaissance et de commander un livret au librettiste vénitien Lorenzo da Ponte. Deux ans après la première de la pièce, *Les Noces de Figaro* triomphaient à l'opéra de Vienne, le 1er mai 1786, immortalisant en musique les épousailles de Figaro et de Suzanne et les intermittences du cœur du couple seigneurial. La mode italienne de l'opéra bouffe, qui avait gagné l'Allemagne et l'Autriche, avait aussi séduit Mozart, qui en adopta le principe pour *Les Noces*. L'opéra bouffe est une œuvre lyrique au sujet simple, généralement emprunté à la vie bourgeoise ou paysanne. Les personnages y sont peu nombreux (trois ou quatre au plus, dont un bouffon, l'équivalent du valet facétieux de la comédie italienne) et l'œuvre comporte une série de scènes où alternent récitatifs, airs, ensembles, chœurs et intermèdes dansés.

POUR SE CONFORMER au principe de composition de l'opéra bouffe et aux exigences de l'empereur, Da Ponte et Mozart opèrent un certain nombre de transformations par rapport à la pièce. Même si l'œuvre lyrique reste complexe, l'action est simplifiée. L'opéra ne compte plus que quatre actes, les caractères des personnages perdent de leur ambiguïté et l'essentiel de leur verve satirique, le texte est resserré (l'épisode du procès disparaît totalement), le nombre et le rôle des personnages secondaires sont réduits. À l'inverse, Da Ponte et Mozart ajoutent plusieurs airs, qui mettent en valeur les chanteurs principaux, et deux finales où apparaissent des ensembles. Mais surtout, la pièce de Beaumarchais, machine théâtrale complexe mise au service de la satire politique et sociale et du libertinage, dont le

L'œuvre : origines et prolongements

sujet principal est le mariage des valets, cède la place à un opéra qui gomme la portée satirique pour privilégier l'expression des sentiments et se concentrer peu à peu sur le drame amoureux que vit le couple seigneurial, conférant à l'œuvre plus de gravité et de noblesse.

À Paris, l'œuvre fut représentée le 20 mars 1793 seulement, et dans une version française adaptée, où les récitatifs étaient remplacés par le texte de la comédie, ce qui rallongeait excessivement l'opéra et déconcerta les spectateurs. Beaumarchais assista à la représentation, mais il n'eut pas le bonheur d'entendre la musique de Mozart, car, à cette date, il était déjà presque complètement sourd.

Des échos littéraires au Mariage

En écho au duo Chérubin/la Comtesse, le jeune Jean-Jacques *des Confessions* (écrites entre 1765 et 1770 et publiées après la mort de Rousseau en 1782 et 1789) s'éprend de Madame de Warens, qui devient pour lui une mère et une amante à la fois (chapitre VI). Le motif est également repris en 1830, dans *Le Rouge et le Noir*, lorsque Julien Sorel, jeune héros passionné et ambitieux, tombe amoureux d'une femme mariée et mère de famille, Mme de Rênal. On le retrouve encore dans *La Curée* (1872) avec le duo Maxime/Renée, ou dans *Nana* (1880) avec l'actrice et le « chérubin » Georges, mais aussi dans *Le Blé en herbe* (1924) avec Philippe et la Dame en blanc...

L'œuvre
et ses représentations

Si la critique a longtemps boudé *Le Mariage de Figaro*, son succès sur scène ne s'est jamais démenti. L'histoire de ses représentations, tributaire de l'Histoire proprement dite, illustre un débat sans cesse renaissant entre ceux qui y voient une pièce à message politique, et ceux qui s'intéressent plus à la virtuosité de son écriture et à son exubérance. Par ailleurs, le faste de certaines mises en scène contemporaines peut être lié à l'influence grandissante, du moins sur les scènes nationales, des somptueuses représentations des *Noces de Figaro* de Mozart à l'Opéra.

Beaumarchais metteur en scène

> *les suggestions de jeux scéniques*
> *et des inflexions de la voix*

Fait nouveau dans l'écriture théâtrale, Beaumarchais eut à cœur de proposer une pièce pour ainsi dire prête à l'emploi, fournissant avec le texte le sujet de la comédie et précisant la position des personnages, leur ordre d'entrée (dans « Placement des acteurs »), le caractère et les costumes des personnages (dans « Caractères et habillements de la pièce »), les décors, les accessoires, le mouvement des scènes, les intonations et les gestes (dans les didascalies). Ces détails, s'ils sont contraignants, s'expliquent.

La Folle Journée est une pièce à grand spectacle. Elle comporte seize personnages actifs, un très grand nombre de figurants et un accompagnement musical, des accessoires innombrables, des effets de lumière importants. Quant aux 92 scènes qui la jalonnent, elles sont riches en péripéties et en changements de registre. Aussi les précisions du dramaturge ont-elles dû être d'un grand secours, à une époque où les comédiens interprétaient le texte sans l'aide d'un metteur en scène.

Beaumarchais, ajoutons-le, écrivait ses pièces en sachant qu'elles auraient quelque chance d'être jouées par des comédiens amateurs dans des théâtres privés, comme cela avait été le cas pour ses parades. Il était également convaincu que le réglage d'une représentation théâtrale est essentiellement du ressort de l'auteur. De plus, son goût du spectacle le poussait à suggérer le plus possible tout ce qui pouvait être montré, soit par le dialogue, soit par les gestes ou encore par des tableaux muets. Enfin, avant même la création du *Mariage* à la Comédie-Française, Beaumarchais l'avait lui-même lue et pour ainsi dire jouée dans les salons, se plaisant à suggérer des jeux scéniques et à varier les inflexions de voix selon les personnages. L'écriture de la pièce s'en est sans doute ressentie.

Beaumarchais connaissait et estimait les comédiens qui créèrent la pièce (Molé était Almaviva, Mlle Saint-Val cadette la Comtesse, Mlle Contat Suzanne, Dazincourt Figaro, Mlle Olivier Chérubin). Certains avaient joué dans *Le Barbier de Séville*. Les autres avaient fait leurs preuves plus récemment. Les appréciations portées par le dramaturge dans les « Caractères et habillements de la pièce » prouvent qu'il fut satisfait de leur interprétation, assez prudente manifestement pour éviter le scandale, et assez piquante néanmoins pour susciter l'enthousiasme du public.

Une pièce censurée

Après la Révolution française, la pièce passa longtemps pour une œuvre révolutionnaire. Aussi ne fut-elle pas toujours représentée dans son intégralité. La censure impériale puis celle de la Restauration effectuèrent des coupes : la définition de la politique par Figaro (« feindre d'ignorer ce qu'on sait... », III, 5), le grand monologue de l'acte V, la réplique sur les soldats (« Sommes-nous des soldats qui tuent et se font tuer pour des intérêts qu'ils ignorent ? », V, 12) et plusieurs couplets du vaudeville final furent ainsi supprimés. En 1820, au contraire, le public réclama le rétablissement du couplet de Figaro sur l'art de « répandre des espions et pensionner les traîtres ». La géométrie de la pièce a varié en fonction des mouvements de l'Histoire, mais n'a cessé pendant tout le siècle d'être critiquée pour son immoralité, voire son « impudeur ».

L'œuvre et ses représentations

Du libertinage aux luttes sociales

les mises en scènes de Charles Dullin (1939)
et d'Antoine Vitez (1989)

Avec le XXᵉ siècle, les jugements moraux s'effacent devant le souci de souligner la dimension sociale et politique ou sa gaieté débridée, voire ses nuances libertines.

Ainsi, en 1939, Charles Dullin fait scandale en gommant l'aspect satirique et polémique de la pièce et en lui restituant sa dimension festive. La scène est bondée, le rythme endiablé, les acteurs sans cesse en mouvement. La musique de Georges Auric étonne. À l'évidence, une telle mise en scène aurait été impensable quelques mois plus tard.

En 1956, au Festival d'Avignon, puis en 1957 au TNP, Jean Vilar s'intéresse moins à la comédie d'intrigue qu'à l'aspect social et revendicateur de la pièce. Daniel Sorano campe un Figaro révolté qui oppose son aisance et sa stature brillante à la déchéance de la figure du Comte. En 1960, la mise en scène que Marcel Bluwal conçoit pour la télévision allie dimension festive et vision sociale. La pièce est jouée au château de Courances et dans le parc, ce qui lui donne une allure de fête champêtre. Mais la portée polémique de l'œuvre est néanmoins clairement soulignée, et les accents de détresse de la Comtesse entraînent la comédie vers le drame. En 1964, Jean-Louis Barrault monte la pièce à l'Odéon. « Ce qui nous remplit aujourd'hui d'admiration, dit-il en 1965, c'est la précision du cliquetis des répliques, la concision des mots, la nécessité des respirations, la densité des articulations, mais surtout la liberté qui plane sur toutes ces rigueurs. [...] La Folle Journée (ou Le Mariage de Figaro) ne nous apparaît donc pas comme une œuvre de revendication, mais comme une Fête de L'Émancipation, L'Homme y célèbre sa majorité et l'art y retrouve ce qui le définit essentiellement, la liberté. » Jean-Louis Barrault rend cette impression de liberté à travers un spectacle « total », tout en mouvement. Cortèges, chansons et intermèdes dansés se succèdent, et la pièce s'achève sur un ballet endiablé autour d'un immense mannequin blanc ayant la tête de Voltaire, tandis qu'un feu d'artifice éclate à l'arrière-plan.

Dans les années 1980, la dimension libertine de la pièce s'affirme. Jean-Pierre Vincent donne en 1987, au Théâtre national de Chaillot, une mise en scène aux décors et aux costumes somptueux. Dans la chambre de la Comtesse, un lit gigantesque est installé sous un dais de taffetas écarlate et surmonté d'un miroir, illustration de la démesure d'une aristocratie voluptueuse et décadente. Mais la violence des relations maître-valet et la pugnacité de Figaro n'en sont pas moins soulignées. Lors du bicentenaire de la Révolution française, en 1989, la pièce est à l'honneur à la Comédie-Française, où Antoine Vitez met naturellement l'accent sur sa portée sociale et politique ; au théâtre de la Criée, à Marseille, Marcel Maréchal insiste lui aussi sur la dimension révolutionnaire, sans négliger pour autant l'aspect libertin.

Un film inspiré du Mariage de Figaro : La Règle du jeu

La Règle du jeu, le film réalisé en 1939 par Jean Renoir, doit beaucoup à la pièce de Beaumarchais : vicissitudes amoureuses d'un couple d'aristocrates et de leurs domestiques sur fond de soirées mondaines et de parties de chasse, à la veille d'un conflit majeur. Pour Renoir comme pour Beaumarchais, le monde est un jeu fascinant et dangereux, mais la comédie bascule, cette fois, dans le drame.

Daniel Sorano et Catherine Le Couey.
Mise en scène de Jean Vilar au Théâtre national populaire,
janvier 1957.

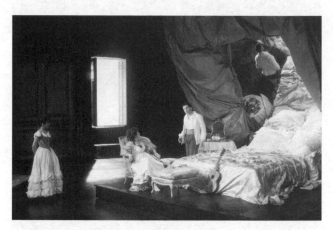

Dominique Blanc (Suzanne), Denise Chalem (la Comtesse),
André Marcon (Figaro). Mise en scène de Jean-Pierre Vincent,
1987.

Jean-Paul Bordes (Figaro).
Mise en scène de Marcel Maréchal,
Théâtre National de la Criée, Marseille, le 26 avril 1989.

Richard Fontana (Figaro).
Mise en scène de Antoine Vitez à la Comédie-Française, 1989.

L'œuvre à l'examen

Objet d'étude : comique et comédie ;
théâtre : texte et représentation.

À l' *écrit*

Corpus bac : maîtres et valets.

TEXTE 1

Le Tartuffe ou L'Imposteur (1669), Molière.
Acte II, scène 2 (extrait).

Alors qu'Orgon s'adresse à sa fille Mariane pour l'informer du mariage qu'il a projeté entre elle et Tartuffe, Dorine, la servante d'Orgon, exprime sa réprobation.

DORINE
Votre honneur m'est cher, et je ne puis souffrir
Qu'aux brocards[1] d'un chacun vous alliez vous offrir.

ORGON
Vous ne vous tairez point ?

DORINE
　　　　　　　　　　C'est une conscience
Que de vous laisser faire une telle alliance.

ORGON
Te tairas-tu, serpent, dont les traits effrontés... ?

DORINE
Ah ! vous êtes dévot, et vous vous emportez ?

ORGON
Oui, ma bile s'échauffe à toutes ces fadaises,
Et tout résolument je veux que tu te taises.

---

1. **Brocards :** railleries offensantes.

L'œuvre à l'examen

DORINE
Soit. Mais, ne disant mot, je n'en pense pas moins.

ORGON
Pense, si tu le veux, mais applique tes soins
À ne m'en point parler, ou... Suffit.
(Se retournant vers sa fille.)
                                        Comme sage,
J'ai pesé mûrement toutes choses.

DORINE
                                        J'enrage
De ne pouvoir parler.
(Elle se tait lorsqu'il tourne la tête.)

ORGON
                              Sans être damoiseau,
Tartuffe est fait de sorte...

DORINE
                                        Oui, c'est un beau museau.

ORGON
Que quand tu n'aurais même aucune sympathie
Pour tous les autres dons...
(Il se tourne devant elle, et la regarde les bras croisés.)

DORINE
                                        La voilà bien lotie !
Si j'étais en sa place, un homme assurément
Ne m'épouserait pas de force impunément ;
Et je lui ferais voir bientôt après la fête
Qu'une femme a toujours une vengeance prête.

ORGON
Donc de ce que je dis on ne fera nul cas ?

DORINE
De quoi vous plaignez-vous ? Je ne vous parle pas.

L'œuvre à l'examen

ORGON
Qu'est-ce que tu fais donc ?

DORINE
Je me parle à moi-même.

ORGON
Fort bien. Pour châtier son insolence extrême,
Il faut que je lui donne un revers de ma main.
*(Il se met en posture de lui donner un soufflet ; et Dorine, à chaque
coup d'œil qu'il jette, se tient droite sans parler.)*
Ma fille, vous devez approuver mon dessein...
Croire que le mari... que j'ai su vous élire...
(À Dorine.)
Que ne te parles-tu ?

DORINE
Je n'ai rien à me dire.

ORGON
Encore un petit mot.

DORINE
Il ne me plaît pas, moi.

ORGON
Certes, je t'y guettais.

DORINE
Quelque sotte, ma foi !

ORGON
Enfin, ma fille, il faut payer d'obéissance,
Et montrer pour mon choix entière déférence.

DORINE, *en s'enfuyant.*
Je me moquerais fort de prendre un tel époux.
(Il lui veut donner un soufflet et la manque.)

ORGON
Vous avez là, ma fille, une peste avec vous,

Avec qui sans péché je ne saurais plus vivre.
Je me sens hors d'état maintenant de poursuivre :
Ses discours insolents m'ont mis l'esprit en feu,
Et je vais prendre l'air pour me rasseoir un peu.

TEXTE 2

Le Mariage de Figaro (1784),
Pierre-Augustin de Beaumarchais.
Acte III, scène 5.

TEXTE 3

Jacques le Fataliste et son maître (1782),
Denis Diderot.

Jacques et son Maître chevauchent ensemble. Lors du récit que Jacques fait à son Maître de ses amours, le Maître découvre qu'une certaine Denise, qu'il avait courtisée en vain, a accordé ses faveurs à Jacques. Le Maître devient jaloux du valet.

LE MAÎTRE : Eh bien ! Jacques, te voilà chez Desglands, près de Denise, et Denise autorisée par sa mère à te faire au moins quatre visites par jour. La coquine ! préférer un Jacques !

JACQUES : Un Jacques ! un Jacques, Monsieur, est un homme comme un autre.

LE MAÎTRE : Jacques, tu te trompes, un Jacques n'est point un homme comme un autre.

JACQUES : C'est quelquefois mieux qu'un autre.

LE MAÎTRE : Jacques, vous vous oubliez. Reprenez l'histoire de vos amours, et souvenez-vous que vous n'êtes et que vous ne serez jamais qu'un Jacques.

JACQUES : Si, dans la chaumière où nous trouvâmes les coquins, Jacques n'avait pas valu un peu mieux que son maître…

LE MAÎTRE : Jacques, vous êtes un insolent : vous abusez de ma bonté. Si j'ai fait la sottise de vous tirer de votre place, je saurai bien vous y remettre. Jacques, prenez votre bouteille et votre coquemar[1], et descendez là-bas.

L'œuvre à l'examen

JACQUES : Cela vous plaît à dire, Monsieur ; je me trouve bien ici, et je ne descendrai pas là-bas.

LE MAÎTRE : Je te dis que tu descendras.

JACQUES : Je suis sûr que vous ne dites pas vrai. Comment, Monsieur, après m'avoir accoutumé pendant dix ans à vivre de pair à compagnon...

LE MAÎTRE : Il me plaît que cela cesse.

JACQUES : Après avoir souffert toutes mes impertinences...

LE MAÎTRE : Je n'en veux plus souffrir.

JACQUES : Après m'avoir fait asseoir à table à côté de vous, m'avoir appelé votre ami...

LE MAÎTRE : Vous ne savez pas ce que c'est que le nom d'ami donné par un supérieur à son subalterne.

JACQUES : Quand on sait que tous vos ordres ne sont que des clous à soufflet, s'ils n'ont été ratifiés par Jacques ; après avoir si bien accolé votre nom au mien, que l'un ne va jamais sans l'autre, et que tout le monde dit Jacques et son maître ; tout à coup il vous plaira de les séparer ! Non, Monsieur, cela ne sera pas. Il est écrit là-haut que tant que Jacques vivra, que tant que son maître vivra, et même après qu'ils seront morts tous deux, on dira Jacques et son maître.

LE MAÎTRE : Et je dis, Jacques, que vous descendrez, et que vous descendrez sur-le-champ, parce que je vous l'ordonne.

JACQUES : Monsieur, commandez-moi tout autre chose, si vous voulez que je vous obéisse. Ici, le maître de Jacques se leva, le prit à la boutonnière et lui dit gravement :
      « Descendez. »
      Jacques lui répondit froidement :
      « Je ne descends pas. »

---

1. **Coquemar** : bouilloire à anse.

L'œuvre à l'examen

a. Question préliminaire (sur 4 points)

Quel est le thème commun à ces trois textes ? Vous justifierez votre réponse en précisant rapidement l'enjeu essentiel de chacun des textes du corpus.

b. Travaux d'écriture (sur 16 points) – au choix

Sujet 1. Commentaire.

Vous ferez le commentaire de la scène 5 de l'acte III du *Mariage de Figaro*.

Sujet 2. Dissertation.

Dans quelle mesure la comédie constitue-t-elle un moyen privilégié de remettre en cause les rapports entre maître et serviteur ? Vous répondrez en vous appuyant sur les textes du corpus et sur d'autres extraits de comédies que vous connaissez.

Sujet 3. Écriture d'invention.

Dans la rubrique « Société » d'un magazine théâtral contemporain, vous interrogez l'un des auteurs du corpus et lui demandez quelle vision des rapports sociaux il a voulu donner à travers son extrait. Écrivez un bref article contenant vos questions et ses réponses (vous pouvez exploiter le texte concerné).

Documentation et compléments d'analyse sur :
www.petitsclassiqueslarousse.com

L'œuvre à l'examen

Objet d'étude : comique et comédie ; théâtre : texte et représentation.

À l' **oral**

Acte V, scène 3.

Sujet : Quel est l'intérêt de ce long monologue au dernier acte de la pièce ?

Une lecture analytique peut suivre les étapes suivantes :

I. **Mise en situation du passage, puis lecture à haute voix**
II. **Projet de lecture**
III. **Composition du passage**
IV. **Analyse précise du passage**
V. **Conclusion – remarques à regrouper un jour d'oral en fonction de la question posée.**

I. Situation de cette scène

Figaro croit que sa jeune épouse s'apprête à le tromper avec le Comte. Il est prêt à remettre en cause son mariage.

II. Projet de lecture

S'il n'exerce aucune des deux fonctions traditionnellement dévolues au monologue (commentaire lyrique de la situation ou moment de délibération), l'intérêt de ce monologue est néanmoins dramatique. Mais il réside aussi dans la méditation sur soi et sur le monde que propose Figaro : interrogation inquiète du sujet sur lui-même en même temps que dénonciation des travers de la société.

L'œuvre à l'examen

L'intérêt dramatique

Cette scène fait écho à plusieurs moments de désarroi, d'éga-rement masculins : celui de Chérubin (I, 7 : « Je ne sais plus ce que je suis ») et celui du Comte (III, 4 : « Où m'égaré-je ? »). En prenant pour thème la jalousie, elle maintient le suspens, lais-sant craindre que Figaro ne s'oppose aux plans de Suzanne et de la Comtesse ; en prenant pour thème la rivalité avec le Comte, elle prépare les effets finaux, puisque Figaro aura finale-ment raison du Comte. Enfin, en donnant longuement la parole à un valet de comédie en proie à des interrogations angoissantes, elle renouvelle à la fois le type du valet et le genre de la comédie.

Le monologue d'un personnage hors norme

La méditation de Figaro dévoile un personnage pourvu d'un riche passé, tel un personnage de roman picaresque. Il ressemble aussi au Hamlet de Shakespeare, s'interrogeant sur l'inconsis-tance de son moi. Il ressemble enfin à Beaumarchais, ayant fait mille métiers et souffert d'une société de privilèges et de cen-sure contre laquelle il s'insurge.

III. Composition de ce passage

1. Figaro évoque sa situation actuelle d'époux jaloux.
2. Figaro se rappelle son passé.
3. Figaro réfléchit à son sort et se trouve ramené à sa situation présente.

IV. Lecture plus précise du passage

1. Figaro évoque sa situation actuelle d'époux jaloux (jusqu'à : « Il s'assied sur un banc. »)
1er temps : confusion et tension dramatique soulignées par la didascalie, associant obscurité et humeur sombre, puis discours grandiloquent et confus de Figaro : recours au lieu commun de la femme trompeuse, phrases interrompues, exclamations, répétitions, rappel désordonné d'images obsédantes ; il parle de Suzanne successivement à la 2e et à la 3e personne.

L'œuvre à l'examen

2ᵉ temps : retour à la raison et à un dialogue fictif et polémique avec le Comte : opposition entre les substantifs (« Noblesse, fortune, un rang, des places ») qui désignent un état stable et les privilèges effectifs de la noblesse et un verbe (« subsister ») qui montre une action toujours à refaire pour un résultat tout juste acceptable.

3ᵉ temps : Figaro souligne l'absurdité de sa situation – il est complètement isolé (« On vient… ; c'est elle… ; ce n'est personne »), dans l'obscurité, à jouer un rôle qui n'est pas tout à fait le sien –, préparant ainsi le récit de sa vie « bizarre ».

2. Figaro se rappelle son passé (jusqu'à : « Il retombe assis. »)
Il alterne les détails réalistes (« je taille encore ma plume » / « je reprends ma trousse et mon cuir anglais »), une fausse naïveté toute voltairienne, et une violence polémique remarquable.

1ᵉʳ temps : avec vivacité (temps présent, phrases juxtaposées, tournures répétitives [participes passés], accumulations de termes) et ironie (« las d'attrister des bêtes malades et pour faire un métier contraire » / « et voilà ma comédie flambée, pour plaire aux princes mahométans, dont pas un, je crois, ne sait lire »), il souligne l'aspect paradoxal de sa vie : il veut faire un métier honnête et on le repousse, il acquiert un savoir qui ne lui ouvre aucun bon métier, il écrit une pièce orientale, mais se trouve censuré, puis écrit sur la valeur de l'argent et se fait emprisonner.

2ᵉ temps : parenthèse dans ce retour sur le passé : prise à partie des « puissants », dans une association là aussi paradoxale, puisque ces puissants sont assimilés à de « petits hommes ». On assiste à un réquisitoire personnel : Figaro s'est levé pour dire des choses importantes, comme lors d'un procès. Derrière le « je » qui parle, perce Beaumarchais : ses phrases sont claires et subtiles, bien balancées et coordonnées, rien du discours ému et brouillon de Figaro.

3ᵉ temps : le monologue rebondit sur une nouvelle mise en accusation de la censure, avec une description ironique de la liberté de la presse – l'accumulation de réserves (« pourvu que je ne parle en mes écrits ni…, ni… ni… ») vide le mot « liberté » de son sens –, puis une nouvelle mise en cause du système social qui privilégie les incompétents (nouveau paradoxe : « on pense à moi pour une place, mais par malheur j'y étais propre ») et où règnent les voleurs.

4e temps : tentation du suicide et retour au métier innocent de barbier (« je reprends ma trousse et mon cuir anglais ») jusqu'au dernier événement paradoxal (« je le marie ; et pour prix d'avoir eu par mes soins son épouse, il veut intercepter la mienne ! »), qui rend à nouveau le discours de Figaro incohérent (« *Il se lève en s'échauffant* », « c'est lui, c'est vous, c'est moi, c'est toi, non, ce n'est pas nous, mais qui est-ce ? »), qui prépare l'interrogation finale.

3. Figaro réfléchit à son sort et se trouve ramené à sa situation présente

1er temps : suite d'interrogations existentielles auxquelles Figaro n'a pour toute réponse que sa philosophie : joncher sa route « d'autant de fleurs que [la] gaieté [le lui] a permis ».

2e temps : résumé de son parcours : alternance d'accumulation de substantifs, de parallèles et de résumés (« ayant tous les goûts pour jouir, faisant tous les métiers pour vivre ») qui crée d'incessantes variations de rythme et s'achève sur un constat totalisant et désabusé : « j'ai tout vu, tout fait, tout usé » qui prépare le dernier temps du monologue.

3e temps : retour à la situation présente et au motif de l'illusion et de la déception du début.

Nouvelle répétition en trois temps (au début, du mot « femme », ici du nom « Suzon ») signifiant, à la façon d'un monologue tragique, l'obsession amoureuse. Puis annonce dramatique : « Voici l'instant de la crise » : Figaro s'est pris un instant pour un tragédien ! Le dernier acte le remettra à sa juste place.

V. *Quelques éléments de conclusion*

1. Sur le plan dramatique, ce monologue exceptionnellement long maintient le suspens sans ennuyer tant il est dynamique et varié. Mais il ne nous apporte pas d'information utile pour la suite de l'intrigue. Son intérêt est donc ailleurs.

L'œuvre à l'examen

2. À travers le discours apparemment spontané et désordonné d'un homme du peuple obsédé par les images de ses déboires récents qui lui inspirent de la jalousie, et celles de son histoire passée qui l'amènent à douter de tout, Beaumarchais se livre à un réquisitoire savamment orchestré contre les privilèges, l'arbitraire du pouvoir et les diverses formes de censure.

• **Quelles sont les différentes formes de comique à l'œuvre dans la scène de jugement (III, 11) du** *Mariage de Figaro* **?**

On pourra souligner :
– le comique de situation : l'élocution de Brid'oison va à l'encontre de l'air imposant et majestueux que lui donne sa tenue de juge / Il ne comprend pas la situation qu'il est censée juger (12) / Il ne comprend pas non plus que Figaro l'a fait cocu et se moque publiquement de lui (13) / Il ne semble pas choqué de la vénalité de son greffier.
– le comique verbal : comique de répétition favorisé par le bégaiement, comique de décalage des répliques de Brid'oison qui n'ont aucune pertinence.

• **Quelles sont les différentes étapes et les différents registres de la scène 16 de l'acte II du** *Mariage de Figaro*, **qui font de cette scène de comédie un véritable drame ?**

On pourra étudier :
– les grandes étapes : résistance / aveu / appel à la clémence / rupture du dialogue et action finale.
– le registre polémique puis pathétique et même lyrique de la Comtesse.
– les éléments qui ressortissent au drame : colère, aveu, supplications.

Documentation et compléments d'analyse sur :
www.petitsclassiqueslarousse.com

Outils de lecture

Acte
Partie d'une pièce de théâtre
comportant plusieurs scènes
et correspondant à une étape
de l'action.

Action
Succession des événements qui
constituent une histoire.

Aparté
Parole qu'un personnage prononce
sans être entendu des autres
personnages présents.

Bienséances
Dans le théâtre classique, ensemble
des principes moraux, religieux,
littéraires, auxquels une œuvre
doit obéir pour ne pas choquer
les idées ou les goûts du public.

Catastrophe
Dans une pièce, dernière péripétie
qui conduit au dénouement.

Comédie
Genre théâtral visant à divertir
en représentant dans un langage
courant les travers humains
d'hommes de condition
moyenne. Le dénouement
d'une comédie est heureux.

Comique
Qui fait rire ou sourire, qui est lié
au genre de la comédie.

Commedia dell'arte
Expression italienne désignant
une forme de comédie venue
d'Italie au XVIIᵉ siècle, où
les personnages portent
des masques.

Dénouement
Conclusion d'une pièce de théâtre,
qui apporte la résolution du conflit
en fixant de manière rapide
et complète le sort des personnages.

Didascalies
Texte d'une pièce de théâtre
qui n'est pas prononcé
par les personnages (titres, liste
de personnages, noms
de personnages, indications
de mise en scène ou de jeu).

Dramaturgie
Art d'écrire une pièce de théâtre
selon des règles.

Drame
Pièce d'un genre intermédiaire
entre la comédie et la tragédie,
destiné à représenter le monde
contemporain, et s'efforçant
d'émouvoir par des scènes
pathétiques.

Emploi
Série de rôles (l'ingénue, le valet,
etc.) présentant des caractères
communs d'une pièce à l'autre.

Exposition
Première partie d'une pièce
de théâtre, comportant toutes
les informations nécessaires
à la compréhension de l'action.

Farce
Pièce comique, généralement
courte, visant à faire rire
par des procédés très voyants.

Idylle
Petit poème ou petite pièce
à sujet pastoral et généralement
amoureux ; aventure amoureuse
naïve et tendre.

Outils de lecture

Imbroglio
Situation complexe, confuse.

Intermède
Au théâtre, divertissement, musical ou non, intercalé entre deux scènes ou deux actes, plus généralement scène constituant une pause dans l'action.

Intrigue
Ensemble des actions accomplies par les personnages.

Ironie
Parole qui donne à comprendre autre chose que ce qui est dit, souvent pour faire rire de quelqu'un ou de quelque chose.

Lyrique
Qui a trait à l'expression de sentiments personnels.

Maxime
Formule brève et frappante énonçant une vérité psychologique ou morale.

Mise en abîme
Procédé qui consiste à répéter, à l'intérieur d'un élément, un élément identique.

Monologue
Paroles prononcées par un personnage seul sur scène.

Nœud
Partie de l'intrigue pendant laquelle les volontés des personnages s'affrontent.

Opéra bouffe
Œuvre lyrique au sujet simple, emprunté à la vie bourgeoise et paysanne, et comportant

un « bouffon », équivalent du valet facétieux de la comédie italienne.

Opéra-comique
Œuvre lyrique composée d'airs chantés (parfois de dialogues parlés) avec accompagnement orchestral.

Parade
Petite pièce burlesque et grivoise improvisée par les comédiens de la Foire avant leur spectacle, pour attirer le public.

Pathétique
Qui suscite une émotion violente ou la compassion.

Péripétie
Retournement de situation inattendu qui modifie le cours de l'action.

Polémique
Qui combat des personnes ou des idées.

Quiproquo
Malentendu sur l'identité d'un personnage.

Réplique
Prise de parole d'un personnage dans un dialogue.

Roman picaresque
Récit à la manière des romans espagnols du Siècle d'or (début du XVIIe siècle), qui raconte les multiples aventures d'un héros de basse condition.

Satire
Texte qui attaque les vices ou les mœurs d'une personne en les moquant.

Outils de lecture

Tableau
Scène statique destinée, selon
la théorie du drame émise
par Diderot, à émouvoir
par la disposition et l'attitude
des personnages.

Tirade
Longue réplique d'un personnage.

Type
Personnage au caractère figé
et caractéristique (l'avare,
le jaloux, etc.).

Tragédie
Genre dramatique caractérisé
par l'affrontement de héros
nobles, confrontés à la fatalité.
L'issue d'une tragédie est
malheureuse.

Vaudeville
Au XVIIIe siècle, chanson légère
insérée dans une pièce de théâtre.

Vraisemblance
Principe selon lequel ce qui est
représenté dans une pièce
de théâtre doit paraître vrai.

Bibliographie filmographie

Sur le théâtre

• *Le Théâtre*, Daniel Couty, Alain Rey (dir.), Bordas, 1980.

Sur le théâtre de Beaumarchais

• *Beaumarchais, le voltigeur des Lumières*, Jean-Pierre de Beaumarchais, Gallimard, coll. « Découvertes Gallimard », 1996.

• *Beaumarchais ou La Bizarre Destinée*, René Pomeau, PUF, coll. « Écrivains », 1987.

• *La Dramaturgie de Beaumarchais*, Jacques Scherer, Nizet, 1954, nouvelle édition, 1999.

Œuvres de Beaumarchais

• *Œuvres de Beaumarchais*, édition établie par Pierre Larthomas, Gallimard, coll. « Bibliothèque de la Pléiade », 1988.

N.B. : Le texte adopté pour cette édition du *Mariage de Figaro* est conforme à l'édition originale de 1785.

Films

• *La Folle Journée ou Le Mariage de Figaro*, 1989, 170 min, réalisation Roger Coggio, avec Marie Laforêt, Fanny Cottençon, Michel Galabru, Paul Préboist, Roger Carel, Roger Coggio.

• *Beaumarchais, l'insolent*, Téléma, 1996, scénario d'Édouard Molinaro et Jean-Claude Brisville, réalisation Édouard Molinaro, sur une idée de Sacha Guitry, avec Fabrice Luchini.

Disques

• *Le Nozze di Figaro*, de Wolfgang Amadeus Mozart, dir. Karl Böhm, Deutsche Grammophon, 1968.

Crédits photographiques

Direction de la collection : Carine Girac - MARINIER
avec le concours de Romain LANCREY-JAVAL

Édition : Jean DELAITE,
avec la collaboration de Marie-Hélène CHRISTENSEN

Lecture-correction : service Lecture-correction Larousse

Recherche iconographique : Valérie PERRIN, Laure BACCHETTA

Direction artistique : Uli MEINDL

Couverture et maquette intérieure : Serge CORTESI

Responsable de fabrication : Marlène DELBEKEN

Photocomposition : CGI
Impression : La Tipografica Varese Srl (Italie) - 306863/05
Dépôt légal : Août 2006 – N° de projet : 11029903 – Novembre 2014